SAVEURS CHINOISES

Wynnie Chan

OCTOPUS

À Li Li et Timmy, toujours
prêts à découvrir de nouveaux
aliments.

Publié pour la première fois en Grande-Bretagne
en 2004 par Octopus Publishing Group Ltd
sous le titre *Fresh Chinese*

Notes

La cuisine n'étant pas une science exacte, elle autorise l'indication de certains ingrédients en cuillerées à soupe (environ 1,5 cl) ou à café (environ 0,5 cl).

Ce livre présente des recettes composées d'œufs crus ou peu cuits, de fruits secs tels que noix, amandes, cacahuètes et certains de leurs dérivés. Toute personne se sachant allergique à ces aliments et, plus largement, les femmes enceintes ou celles qui allaitent, les personnes malades ou âgées, les bébés ou les jeunes enfants, auront intérêt à éviter les plats à base de ces ingrédients et de leurs dérivés. Il convient également d'étudier soigneusement les étiquettes des ingrédients préparés industriellement, pour vérifier qu'ils ne contiennent pas de produits dérivés des fruits secs en question. Par ailleurs, dès que ces plats sont cuisinés, il faut les entreposer au réfrigérateur et les consommer sans trop tarder.

Le four sera chaque fois préchauffé à la température indiquée – en cas de four à chaleur tournante, il convient de se référer aux instructions du fabricant pour adapter la température et le temps de cuisson.

Sommaire

Préface de Ken Hom

L'alimentation traditionnelle chinoise est pauvre en graisses et riche en fruits et légumes. Elle est donc particulièrement recommandée pour lutter contre les maladies cardio-vasculaires qui, avec 180 000 décès par an, constituent la première cause de mortalité en France. L'alimentation des Français est beaucoup trop riche en acides gras saturés et pauvre en fruits et légumes.

Consciente qu'il était nécessaire d'encourager les citoyens britanniques à adopter une alimentation plus saine, la British Heart Foundation en collaboration avec le Chinese National Healthy Living Centre à Londres a mis au point le Chinese Healthy Takeaway Project. Ce programme a pour but d'améliorer les connaissances en diététique des « chefs » chinois, tout en renforçant les aspects positifs de la cuisine traditionnelle chinoise par des séances de formation dispensée gratuitement à travers tout le pays.

Les recettes figurant dans ce livre sont faciles à faire. Les valeurs nutritionnelles, par exemple la quantité de graisses, de calories et de sodium, sont chaque fois indiquées en détail. On peut donc choisir à sa guise les recettes correspondant à son mode de vie, soit que l'on cherche à perdre du poids, soit que l'on ait besoin de préparer, sans y consacrer trop de temps, des repas équilibrés pour toute sa famille, soit enfin que l'on goûte avec un plaisir tout particulier la cuisine chinoise. Que demander de mieux ?

Introduction

La cuisine chinoise traditionnelle se composait surtout de légumes et de céréales tels que le chou, le riz et les nouilles – la viande et les aliments riches en graisses constituaient alors une garniture et servaient plutôt à parfumer les plats. Les recherches, dans le domaine de la diététique, tendent à prouver que ce type d'alimentation pauvre en graisses et riche en fibres est salutaire puisqu'il réduit les risques d'obésité, de maladies de cœur, de diabète et de certains cancers.

On attribue aujourd'hui à la nourriture chinoise actuelle des caractéristiques fort différentes – certains l'accusent de ne pas être saine du fait qu'elle contient trop de graisses, de sel et de glutamate de sodium, tandis que d'autres lui reconnaissent d'innombrables vertus car elle est à base de nombreux légumes et requiert, pour la cuisson, un minimum d'huile. Quoi qu'il en soit, la cuisine chinoise bien préparée est savoureuse et saine. Au plaisir de manger doit s'ajouter le souci d'une alimentation équilibrée, pour prévenir certaines maladies et rester en bonne santé.

À mesure que les pays se sont industrialisés et occidentalisés, les proportions des aliments ingérés se sont modifiées de sorte que nous surconsommons maintenant des aliments riches en graisses, en sel et en protéines. Les recettes décrites dans ce livre cherchent à redresser le déséquilibre qui s'est progressivement opéré et à revenir aux sources en réduisant les quantités de sel, de graisses et de sucre et en augmentant les quantités de fruits et de légumes dans la plupart des plats – sans jamais en compromettre le goût.

WYNNIE CHAN

Le Chinese National Healthy Living Centre à Londres s'est attaché à promouvoir la santé des populations chinoise et britannique au Royaume-Uni par toute une série d'initiatives. Le Chinese Healthy Takeaway Project, cofinancé par la British Heart Foundation, le New Opportunities Fund et la Chinese Takeaway Association, en constitue une. Cette action a pour but d'enseigner aux « chefs » à travers tout le Royaume-Uni les principes d'une saine cuisine, de remettre en place les méthodes de cuisson traditionnelles et de les encourager à modifier leurs menus en conséquence. Ce livre résulte, en droite ligne, de ce programme. Le Chinese National Healthy Living Centre est heureux d'avoir pu contribuer à l'élaboration des recettes présentées dans ce livre.

EDDIE CHAN, DIRECTEUR DU CHINESE NATIONAL HEALTHY LIVING CENTRE

Manger pour la santé

Avoir une alimentation saine et équilibrée est facile et agréable. Il suffit de se rappeler que les aliments se répartissent en cinq catégories et que l'équilibre de l'alimentation repose sur la consommation d'aliments de chacun de ces groupes selon certaines proportions.

Les cinq groupes d'aliments

sont les suivants : le pain, les céréales et les pommes de terre ; les fruits et les légumes ; le lait et les produits laitiers ; la viande, le poisson et les autres sources de protéines ; les sources de sucres et de graisses.

LE PAIN, LES CÉRÉALES ET LES POMMES DE TERRE Ce groupe se compose des féculents riches en hydrates de carbone. On y trouve ainsi les céréales, notamment celles du petit déjeuner, le riz, les pâtes, les nouilles, et l'avoine, qui doivent composer la base de la majorité des repas. Ces aliments sont en effet riches en fibres insolubles, en calcium, en fer et en vitamines B qui sont bons pour les intestins, les os et le sang. Il faut, dans la mesure du possible, privilégier toutes les variantes faites avec de la farine complète ou riches en fibres.

LES FRUITS ET LES LÉGUMES Ce groupe apporte à l'organisme de grandes quantités d'antioxydants tels que la vitamine C et le bêta-carotène (l'équivalent végétal de la vitamine A). Il aide à se protéger de certaines maladies telles que le cancer et les maladies cardio-vasculaires. Riches en fibres solubles, les fruits et légumes contribuent aussi à réduire le taux de cholestérol dans le sang. Il faudrait intégrer dans son alimentation quotidienne cinq portions de fruits et de légumes – ils ne doivent pas obligatoirement être frais, ils peuvent être surgelés, en conserve ou secs, voire en jus.

On entend par une portion de fruits : 1 tranche d'un fruit très large, par exemple le melon, la mangue ou l'ananas ‖ 1 avocat ou 1 pamplemousse ‖ 1 fruit de taille moyenne, comme la banane, la poire, la pomme ou l'orange ‖ 2 petits fruits, par exemple des clémentines, des abricots, des kiwis ou des prunes ‖ 1 tasse de très petits fruits comme les grains de raisin ou les fraises ‖ 2 ou 3 cuillerées de fruits en conserve au sirop non sucré par exemple des litchis ou des pêches ‖ 1 cuillerée à soupe de fruits secs, par exemple des raisins ou des dattes ‖ 15 cl de jus de fruit frais.

On entend par une portion de légumes : 2 cuillerées à soupe de brocolis, bettes, courgettes, épinards, chou, carottes, maïs doux, pak-choï (chou chinois) ‖ 1 coupelle de salade ‖ 1 petit bol de germes de soja ‖ 15 cl de jus de légumes frais.

LE LAIT ET LES PRODUITS LAITIERS Ce groupe apporte à l'organisme des substances nutritives essentielles comme le calcium et les protéines ainsi que les vitamines A, D et B12 nécessaires au bon état des os, de la peau et du sang. Il est recommandé d'inclure chaque jour dans son alimentation quelques portions de ce groupe, en privilégiant, dans la mesure du possible, les variantes allégées en graisses. Les Chinois (excepté ceux qui vivent dans le nord de la Chine) ne consomment pas quotidiennement de produits laitiers. Ils trouvent cependant le calcium dont ils ont besoin dans le tofu, le poisson, les légumes verts à feuilles et le lait de soja enrichi en calcium.

LA VIANDE, LE POISSON ET AUTRES ALIMENTS PROTÉINIQUES Parmi les substances nutritives apportées par ce groupe d'aliments figurent le fer, les protéines, les vitamines B et le magnésium qui sont bons pour le sang et pour le fonctionnement efficace du système immunitaire. Il est recommandé de ne manger chaque jour que deux portions, au maximum, des aliments suivants : viande rouge maigre, poisson, poulet, dinde, œufs, fruits secs comme les noix et, amandes, haricots et légumes secs. Les doliques, les mungos, les fèves et les lentilles sont riches en protéines comme le tofu et la pâte de soja.

LES SOURCES DE SUCRES ET DE GRAISSES Il vaut mieux réduire au maximum sa consommation de petits gâteaux apéritifs, biscuits, chips, pâtisseries, bonbons, chocolats, tartes, beurre et boissons gazeuses. Ils sont trop gras et trop sucrés, voire les deux. Ils sont par conséquent hypercaloriques et risquent d'anéantir tous les efforts que vous avez entrepris pour perdre du poids. Ils contiennent aussi souvent des additifs tels que les arômes, colorants et conservateurs artificiels qui sont nuisibles et contrarient l'équilibre naturel de l'organisme.

Quelques conseils pour manger moins gras **UN** Privilégier les morceaux de viande les moins gras – par exemple acheter de l'échine de porc plutôt que du lard. **DEUX** Débarrasser la viande ou la volaille de tout ce qui semble gras soit avant, soit après la cuisson – par exemple enlever la peau du poulet ou du canard. **TROIS** Cuire les aliments à la vapeur plutôt que les faire frire. **QUATRE** Écumer la graisse apparaissant à la surface des bouillons et des sauces faits à partir de viande ou de volaille. **CINQ** Réduire au minimum la quantité d'huile pour faire sauter tel ou tel aliment à la poêle. Une cuillerée à soupe d'huile suffit largement pour faire sauter un plat pour quatre personnes. **SIX** Toujours utiliser une cuillère pour mesurer l'huile dont on se sert plutôt que de la verser directement de la bouteille dans la poêle. Cela permet de mesurer avec exactitude la quantité. **SEPT** L'usage d'une poêle à revêtement antiadhésif permet de limiter la quantité d'huile de cuisson. **HUIT** Privilégier, dans la mesure du possible, les variantes allégées en graisses – par exemple le lait de coco, le beurre de cacahuètes ou le lait de soja.

Et le sucre ?
Tous les fruits et les légumes contiennent naturellement du sucre mais ce sont les sucres raffinés cachés dans beaucoup d'aliments – cela va des jus de fruits aux plats cuisinés – qui peuvent générer des problèmes. On ne se rend souvent pas compte de la quantité de sucre qu'on consomme. L'analyse détaillée de la liste des ingrédients figurant sur les emballages est, à ce titre, fort instructive. Dans l'idéal, mieux vaut donc préparer soi-même ses repas avec des ingrédients naturels.

Quelques conseils pour réduire sa consommation de sucre **UN** Choisir des jus de fruits sans sucre ou hypocaloriques. **DEUX** Essayer de réduire la quantité de sucre des marinades et autres opérations culinaires **TROIS** Il est bénéfique de cuisiner des aliments à teneur en sucre réduite – on privilégiera ainsi les fruits conservés dans leur jus naturel plutôt que dans du sirop. **QUATRE** Choisir pour le dessert des fruits frais plutôt qu'une pâtisserie bien sucrée.

Et le sel ?
Le corps humain a besoin d'une petite quantité de sel (chlorure de sodium), et les relevés de consommation nationale sont beaucoup trop élevés. Or, il est scientifiquement démontré qu'une trop forte absorption de sel entraîne souvent chez les adultes une hypertension et que les gens qui en souffrent ont trois fois plus de risques de développer des maladies cardio-vasculaires.

Quelques conseils pour réduire sa consommation de sel **UN** Parfumer les plats en remplaçant le sel par des herbes aromatiques et des épices telles que le gingembre, l'ail, la coriandre, le poivre du Sichuan, l'anis étoilé,

les petits oignons blancs, le piment et la citronnelle. **DEUX** Limiter la consommation de sauces en bouteilles – par exemple la sauce de soja, la pâte de soja jaune et la sauce hoï sin. Ceux qui ont l'habitude de verser une pleine cuillerée de sauce aux huîtres sur leurs légumes n'auront qu'à réduire la cuillerée, ce qui aura une incidence sur la quantité de sel mais pas sur le goût. **TROIS** Les cubes de bouillon sont salés et certains contiennent même du glutamate de sodium comme exhausteur de goût. Il vaut mieux, dans la mesure du possible, préparer soi-même ses bouillons pour parfumer et diversifier le goût de ce qu'on mange. Cela limitera la consommation de sel et l'utilisation des sauces en bouteilles lors de la préparation en cuisine. Pour ne jamais être pris au dépourvu, on peut même congeler du bouillon fait maison en petites quantités dans des sacs de congélation. **QUATRE** Ne pas ajouter de sel dans l'eau de cuisson des légumes ou du riz – ce n'est pas nécessaire. Cela dit, on peut utiliser du bouillon en lieu et place du sel. **CINQ** La sauce de soja japonaise, le tamari, est beaucoup plus concentrée que la sauce de soja chinoise ; sa consommation doit donc être faible. L'autre sauce de soja japonaise, le shoyu, ou le sel hyposodé peuvent remplacer le sel mais sont à éviter pour les personnes souffrant de diabète ou des reins car ils contiennent trop de potassium. **SIX** Choisir des noix, amandes, etc. non salées ou, lorsqu'elles le sont, essayer de les en débarrasser d'un maximum à l'aide de papier absorbant avant de les cuisiner. **SEPT** Ne pas saler automatiquement un plat avant de l'avoir goûté, sans même savoir si c'est nécessaire.

Équipement

Préparer de succulents et authentiques repas chinois n'a rien de difficile quand on bénéficie de l'équipement adéquat. On peut d'ailleurs se le procurer dans les supermarchés chinois. Les ustensiles présentés ici sont essentiels.

UNE POÊLE ANTIADHÉSIVE Elle est idéale pour faire sauter les aliments. Elle doit avoir de préférence 30 cm de diamètre. Elle est parfois plus adaptée qu'un wok, quand on cuisine sans trop de matières grasses, car, sur une plaque électrique ou un brûleur à gaz, la température obtenue ne permet pas toujours de chauffer convenablement les parois du wok et la cuisson dure alors plus longtemps car elle ne se fait que sur une faible surface au fond du wok.

UN GRIL ANTIADHÉSIF Très utile pour la cuisson des viandes et des poissons, il permet de n'utiliser qu'une très petite quantité d'huile.

UNE SPATULE ANTIADHÉSIVE OU UNE CUILLÈRE EN BOIS Parfaites pour faire revenir dans la poêle et mélanger les ingrédients.

UNE PAIRE DE LONGUES BAGUETTES EN BOIS Elles sont à usage multiple et permettent de mélanger, faire revenir et servir les aliments.

UN WOK AVEC COUVERCLE ET GRILLE INTÉRIEURE Un grand wok de 30 cm de diamètre au minimum semble la meilleure option.

DES PANIERS DE CUISSON À LA VAPEUR EN BAMBOU Il faut qu'ils aient au moins 25 cm de diamètre – ceux de plus petite taille sont certes charmants mais guère pratiques pour préparer des repas familiaux. Ces paniers sont idéaux pour cuire des raviolis et des petits pains, mais il ne faut pas oublier de les tapisser de papier sulfurisé pour éviter que les aliments ne collent au fond.

DES CASSEROLES AVEC COUVERCLE Elles sont nécessaires pour faire cuire du riz ou préparer un bouillon.

DES COUTEAUX EN ACIER INOXYDABLE OU UN PETIT HACHOIR Ils servent à hacher grossièrement et à couper la viande et les légumes.

DES BOLS CHINOIS, DES BAGUETTES ET DES CUILLÈRES CHINOISES Pour les Chinois, manger revêt un caractère social, chaque convive se servant dans des plats disposés au centre de la table. Pour apprécier pleinement la cuisine chinoise il faut jouer le jeu, délaisser couteaux et fourchettes, et s'armer de baguettes !

Ingrédients de base à avoir en réserve

Les recettes regroupées dans ce livre sont faciles à réaliser et sont à base d'ingrédients qu'on trouve dans tous les supermarchés. À condition d'avoir chez soi la plupart des ingrédients énumérés ci-dessous, on peut, sans mal et sans y consacrer beaucoup de temps, préparer de délicieux repas chinois.

LE RIZ OU FAN C'est un aliment de base dans la Chine du Sud pour la majorité des repas. Pour la variante longs grains, choisir le riz au jasmin thaï ou le riz brun. Pour la variante grains ronds, choisir soit le riz glutineux, soit le riz japonais pour sushis.

LES NOUILLES Elles peuvent être achetées fraîches ou séchées. Les nouilles « fun » sont faites à partir de farine de riz, c'est pourquoi on parle de nouilles de riz. Les nouilles « mein » sont fabriquées à partir de farine de blé avec ou sans adjonction d'œufs, de sarrasin ou de crevettes – ce sont par exemple les nouilles à la farine complète, les nouilles aux œufs ou les nouilles au soba (farine de sarrasin japonaise). (Les nouilles à base d'amidon ou vermicelles chinois ne sont pas faites à partir de farine de blé ou de riz mais de haricot mungo. Comme ils ont une valeur nutritive moindre, ils ne servent pas d'aliments de base.)

LES HUILES La cuisine chinoise utilise traditionnellement l'huile d'arachide mais elle a une forte teneur en graisses saturées. Les huiles d'olive et de colza contiennent, en revanche, moins de graisses saturées et une proportion plus grande de « bonnes » graisses. Ces deux types d'huile sont recommandés dans les régimes visant à protéger le cœur, car elles contiennent une plus grande proportion de graisses mono-insaturées qui, comme l'ont montré des recherches scientifiques, contribuent à baisser le taux de

cholestérol dans le sang. Par ailleurs, l'huile de colza contient plus d'acides gras essentiels oméga-3 qui contribueraient à réduire les risques de maladies cardio-vasculaires. L'huile de sésame, obtenue à partir de graines de sésame blanc grillées, sert aussi souvent dans la cuisine chinoise.

LES FRUITS ET LÉGUMES EN CONSERVE Ce sont par exemple les mangues, les litchis, les pousses de bambou et les châtaignes d'eau. D'emploi facile, ils peuvent entrer dans la composition de maints repas et collations.

LES VARIANTES ALLÉGÉES EN GRAISSES Le lait de coco et le beurre de cacahuètes allégés en graisses sont maintenant en vente dans la plupart des grands supermarchés et épiceries. Ils sont généralement au moins 25 % moins gras que leurs variantes d'origine et sont idéaux pour alléger en graisses l'alimentation, sans pour autant sacrifier ni le goût, ni l'arôme des aliments.

LES CHAMPIGNONS CHINOIS SÉCHÉS Ils sont relativement chers mais comme il faut les faire gonfler avant de les cuisiner, il en suffit de peu chaque fois.

LA FÉCULE DE MAÏS OU MAÏZENA Elle est préparée à partir de l'amidon du maïs et est utilisée comme épaississant. Certaines personnes lui préfèrent la fécule de pommes de terre.

LE TOFU OU LA PÂTE DE SOJA On en trouve du frais dans les supermarchés orientaux ou en paquets longue conservation. Il peut être tendre ou ferme. La tofu ferme convient tout à fait pour faire sauter, braiser et

rôtir les aliments. Le tendre sert davantage à la confection de desserts sucrés, de boissons et d'assaisonnements.

LES HERBES ET LES ÉPICES Les piments, l'ail, le gingembre, les petits oignons blancs, la coriandre, les échalotes, la citronnelle, les feuilles de basilic thaï, la poudre de cinq-épices, le poivre en grains du Sichuan, le poivre, l'anis étoilé, les graines de sésame, les graines de fenouil, le cumin en poudre, les feuilles de laurier, les bâtons de cannelle, les feuilles de limettier et la pâte de tamarin font parfaitement ressortir le goût des aliments dans des marinades ou sautés à la poêle et rendent superflue toute adjonction supplémentaire de sel.

LES SAUCES EN BOUTEILLES La sauce aux huîtres, la sauce hoï sin, la pâte de soja noire et la pâte de soja jaune donnent aux plats des senteurs typiquement chinoises. La pâte de sésame sert souvent à relever le goût des plats froids. Le shoyu est une sauce de soja japonaise, elle contient moins de sodium (sel) que sa variante chinoise. Il en va de même pour le tamari, variante japonaise de la sauce de soja chinoise, qui est plus goûteuse et plus sucrée. Les sauces de soja japonaises sont plus longues à préparer. Elles sont faites à partir de germes de soja grillés, de blé et de sel. La sauce aux poissons se prépare avec des anchois salés fermentés et des crevettes. Elle a un goût très particulier et est très salée ; il vaut donc mieux ne l'utiliser qu'en très petites quantités.

LE VINAIGRE Le vinaigre, qu'il soit balsamique, de vin de riz ou de vin rouge, donne aux aliments une petite note aigre. Le vinaigre de vin rouge chinois est moins acide et sert souvent de sauce d'accompagnement. On peut d'ailleurs réserver au même usage du vinaigre balsamique additionné d'une quantité égale de bouillon ou d'eau.

LES GALETTES OU PÂTES Il est toujours bon d'avoir en réserve des galettes de riz. Les feuilles ou pâtes pour wontons (raviolis chinois) peuvent, elles, s'acheter fraîches, et se conservent environ cinq jours au réfrigérateur, mais elles peuvent aussi être congelées pour un usage ultérieur (mieux vaut les congeler le jour même où on les achète).

LE VIN DE RIZ CHINOIS Le vin de riz (de préférence du Shaoxing) sert souvent de marinade ou d'ingrédient lors de la cuisson à la poêle. On peut très bien le remplacer par du xérès.

SOJA, LENTILLES, GRAINES, AMANDES ET NOIX DIVERSES Qu'ils soient secs, congelés ou en conserve, les germes et autres haricots remplacent très bien la viande en termes de protéines, de même que les graines, les amandes et noix diverses. Ils peuvent tous très efficacement rehausser un plat de riz nature, des nouilles ou des salades.

LES FRUITS ET LES LÉGUMES FRAIS Le bok choy ou chou chinois (pak-choï), les bettes, le chou chinois à fleur (choi sum), les feuilles de colza (kai lan), les germes de soja, la ciboulette fleurie et les mini-épis de maïs doux sont des légumes courants. Dans les fruits, on peut citer : les mangues, les litchis, les carambokes, les kumquats, les kiwis, les bananes, les physalis et les papayes.

Suggestions de menus

MENU FAMILIAL POUR 4 À 6 PERSONNES

Bœuf aux tomates *(page 49)*

Saumon au sésame et aux légumes en julienne *(page 78)*

Pousses de bambou et champignons de paille aux brocolis *(page 123)*

Légumes chop suey *(page 122)*

Riz blanc nature *(page 140)*

Assiette d'oranges

MENU FAMILIAL VÉGÉTARIEN POUR 4 À 6 PERSONNES

Fu yung aux légumes *(page 119)*

Lentilles à la citronnelle et aux feuilles de limettier *(page 116)*

Tofu sauté aux légumes variés *(page 115)*

Brocolis aux graines de sésame *(page 111)*

Riz blanc nature *(page 140)*

Melon en tranches

MENU ENTRE AMIS POUR 4 À 6 PERSONNES

Soupe au poulet et à la crème de maïs doux *(page 34)*

Bœuf aux poivrons jaunes et à la pâte de soja noire *(page 46)*

Porc à la sauce aigre-douce *(page 53)*

Légumes chop suey *(page 122)*

Riz sauté aux fruits et aux légumes *(page 138)*

Bananes aux graines de sésame *(page 154)*

MENU DE RÉCEPTION POUR 4 À 6 PERSONNES

Soupe épicée et aigre *(page 35)*

Grosses crevettes sautées au gingembre et aux petits oignons blancs *(page 82)*

Travers de porc *(page 54)*

Poulet aux noix de cajou et aux légumes *(page 70)*

Riz blanc nature *(page 140)*

Litchis

MENU ROMANTIQUE POUR 2 PERSONNES

Salade de crevettes et de pamplemousses *(page 32)*

Huîtres à la pâte de soja noire *(page 85)*

Canard à l'ananas *(page 64)*

Chou frisé au piment *(page 110)*

Riz blanc nature *(page 140)*

Fraises

BUFFET POUR 8 À 10 PERSONNES

Toasts aux crevettes et aux graines de sésame *(page 30)*

Rouleaux de printemps frais *(page 26)*

Poulet chandoori *(page 62)*

Porc satay *(page 57)*

Boulettes de poisson épicées à la sauce aigre-douce *(page 80)*

Brocolis aux graines de sésame *(page 111)*

Tofu grillé à la sauce sichuanaise *(page 106)*

Petits pains à la vapeur *(page 137)*

Gelée aux amandes et aux fruits *(page 149)*

BANQUET POUR 8 À 10 PERSONNES

Salade de chou-rave et de carottes à la menthe *(page 31)*

Canard croustillant aromatique *(page 24)*

Bar à la vapeur aux petits oignons et au gingembre *(page 98)*

Crevettes à la vapeur et à l'ail *(page 84)*

Porc rôti *(page 56)*

Bok choy sauté aux shii-takes *(page 108)*

Aubergines aux senteurs de la mer *(page 124)*

Nouilles sautées aux cacahuètes et au maïs doux *(page 130)*

Riz blanc nature *(page 140)*

Farandole de fruits tropicaux *(page 153)*

Les bouillons
Les bouillons entrent dans la composition de nombreux plats de la cuisine chinoise. Les préparer soi-même constitue la meilleure façon d'apporter aux plats que l'on confectionne de multiples saveurs sans ajouter de sel, de glutamate de sodium ni d'arômes artificiels souvent superflus. Il est conseillé d'en préparer chaque fois une grande quantité qu'on congèlera en portions plus petites et plus commodes à utiliser, le moment venu, dans des soupes, des ragoûts ou divers autres plats.

Bouillon de poule

INGRÉDIENTS *1,5 kg de carcasse et d'os de poulet* ‖ *1 kg de cuisses et de hauts de cuisses de poulet, sans la peau* ‖ *3,5 l d'eau* ‖ *2 petits oignons blancs* ‖ *2 petits morceaux de gingembre frais*

UN Dans une grande casserole, mettre les os et les morceaux de poulet. **DEUX** Ajouter l'eau et porter à ébullition. À feu plus doux, laisser mijoter et écumer régulièrement la surface du bouillon. Ajouter les oignons et le gingembre et laisser mitonner, en couvrant à demi, pendant 3 à 4 heures. **TROIS** Laisser refroidir légèrement le bouillon puis le passer dans un récipient. Le couvrir et l'entreposer au réfrigérateur jusqu'au moment de s'en servir. Il peut se conserver 2 jours. Avant de l'utiliser, bien enlever toute la graisse qui se serait formée à la surface.

Pour environ 3 l de bouillon

Bouillon de légumes

INGRÉDIENTS *1 kg de bettes* ‖ *1 kg de poireaux* ‖ *1 kg de carottes* ‖ *1 kg d'oignons* ‖ *4 petits morceaux de gingembre frais* ‖ *4 feuilles de laurier* ‖ *4,5 l d'eau*

UN Dans une grande casserole, mettre les légumes, le gingembre et le laurier. **DEUX** Ajouter l'eau et porter à ébullition. À feu plus doux, laisser mijoter puis couvrir et laisser cuire pendant 2 heures. **TROIS** Laisser refroidir légèrement le bouillon puis le passer dans un récipient. Le couvrir et l'entreposer dans le réfrigérateur jusqu'au moment de s'en servir. Il peut se conserver 2 jours.

Pour environ 2,5 l de bouillon

Bouillon de bœuf

INGRÉDIENTS *entre 1,5 et 2 kg d'os de bœuf* ‖ *1,5 kg de bœuf à braiser, maigre, coupé en morceaux* ‖ *5 l d'eau* ‖ *150 g d'oignons, coupés en gros morceaux* ‖ *3 ou 4 petits morceaux de gingembre frais* ‖ *4 grosses carottes, coupées en gros tronçons* ‖ *2 bâtons de cannelle* ‖ *2 étoiles d'anis*

UN Dans une grande casserole, mettre les os et les morceaux de viande. **DEUX** Ajouter l'eau et porter à ébullition. À feu plus doux, laisser mijoter en écumant régulièrement le dessus du bouillon. **TROIS** Ajouter les oignons, les carottes, le gingembre, la cannelle et l'anis étoilé et laisser mijoter, en couvrant à demi, pendant 4 heures. **QUATRE** Laisser refroidir légèrement le bouillon puis le passer dans un récipient. Le couvrir et l'entreposer au réfrigérateur jusqu'au moment de s'en servir. Il peut se conserver 2 jours. Avant de l'utiliser, bien enlever toute la graisse qui se serait formée à la surface.

Pour environ 2,5 l de bouillon

Bouillon de porc

INGRÉDIENTS *entre 1,5 et 2 kg d'os de porc* ‖ *1,5 kg de jambonneau avant ou arrière de porc, maigre, coupé en morceaux* ‖ *5 l d'eau* ‖ *150 g d'oignons, coupés en gros morceaux* ‖ *4 grosses carottes, coupées en gros tronçons* ‖ *3 ou 4 petits morceaux de gingembre frais*

UN Dans une grande casserole, mettre les os et la viande **DEUX** Ajouter l'eau et porter à ébullition. À feu plus doux, laisser mijoter en écumant régulièrement le dessus du bouillon. Ajouter les oignons, les carottes et le gingembre et laisser mijoter, en couvrant à demi, pendant 4 heures. **TROIS** Laisser refroidir légèrement puis passer le bouillon et le verser dans un récipient. Couvrir et entreposer au réfrigérateur jusqu'au moment de s'en servir. Il peut se conserver 2 jours. Avant de l'utiliser, bien enlever toute la graisse qui se serait formée à la surface.

Pour environ 2,5 l de bouillon

Bouillon de poissons

INGRÉDIENTS *500 g de parures et de têtes de poisson* ‖ *250 g de poireaux* ‖ *250 g d'oignons* ‖ *250 g de céleri* ‖ *250 g de carottes* ‖ *2,5 l d'eau* ‖ *une poignée d'herbes aromatiques (par exemple : coriandre, persil et petits oignons blancs)* ‖ *2 feuilles de laurier* ‖ *1 cuillerée à soupe de poivre blanc en grains*

UN Bien laver les parures et têtes de poisson et les mettre dans une grande casserole. **DEUX** Éplucher et couper grossièrement les légumes. **TROIS** Ajouter l'eau et porter à ébullition puis, à feu plus doux, laisser mijoter. Écumer régulièrement le dessus. Ajouter les légumes, les herbes aromatiques et le poivre et, en couvrant à demi, laisser cuire pendant 1 heure 30. **QUATRE** Laisser le bouillon refroidir légèrement puis le passer et le verser dans un récipient. Couvrir et entreposer au réfrigérateur pendant 24 heures au maximum avant de l'utiliser.

Pour 1,5 à 2 l de bouillon

Sauce au citron et au poisson

INGRÉDIENTS *2 piments rouges, égrainés et hachés* ‖ *½ gousse d'ail, écrasée* ‖ *4 cuillerées à soupe de jus de citron frais* ‖ *4 cuillerées à soupe de sauce au poisson thaï* ‖ *3 cuillerées à soupe de cassonade* ‖ *8 cuillerées à soupe d'eau*

UN Dans un bol, bien mélanger tous ces ingrédients. **DEUX** Transférer la préparation obtenue dans un pot muni d'un couvercle à vis. Cette sauce peut se conserver une semaine au réfrigérateur.

Pour environ 30 cl de sauce

VALEURS NUTRITIONNELLES POUR ENVIRON 1 CUILLERÉE À SOUPE 41 kJ – 10 kcal – protéines : 0,2 g – hydrates de carbone : 2,5 g – sucres : 2 g – graisses : 0 g – acides gras saturés : 0 g – fibres : 0 g – sodium : 235 mg

Sauce au citron et au sésame

INGRÉDIENTS *3 cuillerées à soupe de graines de sésame grillées* ‖ *1 cuillerée à soupe de shoyu ou de tamari* ‖ *5 cuillerées à soupe de jus de citron vert frais* ‖ *2 cuillerées à soupe d'huile de colza ou d'olive vierge* ‖ *1 cuillerée à café de sauce Worcestershire*

UN Battre dans un mixer tous les ingrédients jusqu'à obtention d'une pâte épaisse et crémeuse. **DEUX** Verser dans un pot muni d'un couvercle à vis et réserver au réfrigérateur jusqu'au moment de la servir. Cette sauce se conserve jusqu'à une semaine au réfrigérateur.

Pour environ 25 cl de sauce

VALEURS NUTRITIONNELLES POUR ENVIRON 1 CUILLERÉE À SOUPE 58 kJ - 14 kcal – protéines : 0,2 g – hydrates de carbone : 0,1 g – sucres : 0,1 g – graisses : 1,4 g – acides gras saturés : 0,2 g – fibres : 0,1 g – sodium : 19 mg.

Sauce au tofu et au mirin

INGRÉDIENTS *2 cuillerées à soupe de mirin (vin de riz japonais)* ‖ *2 cuillerées à soupe de vinaigre de riz* ‖ *1 cuillerée à soupe de shoyu ou de tamari* ‖ *1 cuillerée à soupe de gingembre frais, râpé* ‖ *75 g de tofu tendre* ‖ *75 g de carottes, râpées*

UN Battre dans un mixer le mirin, le vinaigre de riz, le shoyu, le gingembre et le tofu. Ajouter les carottes. **DEUX** Cette sauce se conserve quelques jours au réfrigérateur.

Pour environ 15 à 20 cl de sauce

VALEURS NUTRITIONNELLES POUR ENVIRON 1 CUILLERÉE À SOUPE 27 kJ - 6 kcal – protéines : 0,5 g – hydrates de carbone : 0,6 g – sucres : 0,4 g – graisses : 0,2 g – acides gras saturés : 0 g – fibres : 0,1 g – sodium : 33 mg.

Sauce au piment

INGRÉDIENTS *2 cuillerées à café de Maïzena* ‖ *25 cl de bouillon de légumes (voir page 17)* ‖ *10 à 15 cl de vinaigre de vin de riz* ‖ *2 cuillerées à soupe de shoyu ou de tamari* ‖ *1 cuillerée à soupe de cassonade* ‖ *2 gousses d'ail, écrasées* ‖ *1 petit morceau de gingembre frais, pelé et râpé* ‖ *1 piment rouge, égrainé et haché finement*

UN Dans une petite casserole, mélanger jusqu'à complète dissolution la Maïzena et le bouillon. **DEUX** Incorporer le vinaigre de vin, le shoyu, le sucre, l'ail, le gingembre et le piment. Porter la sauce à ébullition sans cesser de tourner jusqu'à ce qu'elle épaississe. **TROIS** Retirer la casserole du feu et laisser la sauce refroidir. La servir dans un bol sans plus tarder.

Pour environ 30 cl de sauce

VALEURS NUTRITIONNELLES POUR ENVIRON 1 CUILLERÉE À SOUPE 23 kJ – 5,5 kcal – protéines : 0,1 g – hydrates de carbone : 1,2 g – sucres : 0,6 g – graisses : 0 g – acides gras saturés : 0 g – fibres : 0 g – sodium : 34 mg.

Sauce à l'ananas

INGRÉDIENTS *1 cuillerée à soupe de vinaigre de vin de riz* ‖ *le jus de 1 citron* ‖ *1 cuillerée à café de cassonade* ‖ *1 gousse d'ail, écrasée* ‖ *2 piments rouges, égrainés et émincés* ‖ *125 g d'ananas, frais ou en conserve, réduits en pulpe*

UN Dans un saladier, mélanger le vinaigre, le jus de citron, le sucre, l'ail et les piments. **DEUX** Ajouter la pulpe d'ananas et mélanger de façon homogène. Servir immédiatement.

Pour 4 personnes

VALEURS NUTRITIONNELLES POUR ENVIRON 1 CUILLERÉE À SOUPE 32 kJ – 7,3 kcal – protéines : 0,1 g – hydrates de carbone : 1,8 g – sucres : 1,8 g – graisses : 0 g – acides gras saturés : 0 g – fibres : 0,1 g – sodium : traces.

Soupes et entrées

Canard croustillant aromatique

Ce plat est originaire du Sichuan où, traditionnellement, le canard qui a d'abord mariné est cuit à la vapeur puis frit jusqu'à ce qu'il devienne croustillant et doré. Dans cette variante présentée ici, le canard est d'abord cuit afin d'en rendre la chair moelleuse et pour qu'elle se détache facilement des os. Il est ensuite grillé plutôt que frit, ce qui en réduit la teneur en matières grasses.

INGRÉDIENTS *1 canard d'environ 1 kg, coupé en deux et légèrement aplati* ‖ *3 l de bouillon de légumes (voir page 17)*

MARINADE *1 cuillerée à soupe de cinq-épices* ‖ *1 cuillerée à soupe de gingembre en poudre* ‖ *2 étoiles d'anis* ‖ *2 cuillerées à soupe de poivre du Sichuan en grains* ‖ *2 cuillerées à soupe de poivre noir en grains* ‖ *3 cuillerées à soupe de graines de cumin* ‖ *3 cuillerées à soupe de graines de fenouil* ‖ *1 cuillerée à soupe de shoyu ou de tamari* ‖ *6 petits morceaux de gingembre frais, pelés et râpés* ‖ *6 petits oignons blancs, hachés* ‖ *2 feuilles de laurier, émiettées*

ACCOMPAGNEMENT *crêpes chinoises (voir page 144)* ‖ *concombre en tranches* ‖ *petits oignons blancs en tranches* ‖ *sauce hoï sin diluée dans du bouillon*

UN Mélanger tous les ingrédients de la marinade et bien en enduire le canard coupé en deux. Couvrir et entreposer le plat toute une nuit, ou au moins 2 heures, dans le réfrigérateur. **DEUX** Dans une grande casserole, porter le bouillon à ébullition. Y plonger délicatement le canard et faire chauffer jusqu'à la reprise de l'ébullition. Réduire alors la chaleur, couvrir la casserole et laisser mijoter pendant 45 minutes. **TROIS** Laisser refroidir pendant 10 à 15 minutes puis retirer le canard du bouillon à l'aide d'une écumoire. Le faire égoutter sur du papier absorbant en l'essuyant légèrement. **QUATRE** Poser les deux moitiés de canard, peau en l'air, sur une grille, elle-même déposée sur un plat à rôtir. Placer l'ensemble sous le gril préchauffé à très haute température et laisser griller de 3 à 5 minutes jusqu'à ce que la peau brunisse. Rester très vigilant! **CINQ** Retirer l'ensemble et sécher tout excès de graisse apparaissant sur la peau. Laisser le canard refroidir légèrement puis, à l'aide de deux fourchettes, émietter la chair. **SIX** Servir accompagné de crêpes chinoises, de concombre en tranches, de petits oignons blancs en tranches et de sauce hoï sin diluée dans un peu de bouillon.

Entrée pour 8 personnes

VALEURS NUTRITIONNELLES PAR PERSONNE 1 750 kJ – 423 kcal – protéines: 20 g – hydrates de carbone: 0 g – sucres: 0 g – graisses: 38,1 g – acides gras saturés: 11,4 g – fibres: 0 g – sodium: 129 mg.

INFO SANTÉ La peau du canard contient certes beaucoup de graisses, mais, si elle était enlevée dès le début, cette recette ne serait plus la même. Elle perd une certaine quantité de graisses lors de la cuisson dans le bouillon et il est possible d'en retirer encore en essuyant le canard avec du papier absorbant au sortir du gril.

Rouleaux de printemps frais

Les rouleaux de printemps frits rallient tous les suffrages dans les restaurants ou chez les traiteurs chinois. Cette version est une adaptation d'une recette vietnamienne : les rouleaux en galettes de riz, fourrés d'herbes aromatiques fraîches et de légumes croquants, sont trempés dans une sauce au citron bien parfumée.

INGRÉDIENTS *8 galettes de riz, d'environ 20 cm de diamètre* ‖ *de la sauce au citron et au poisson (voir page 19) pour y tremper les rouleaux*

FARCE *6 champignons chinois séchés* ‖ *50 g de vermicelles de riz* ‖ *250 g de germes de soja frais* ‖ *1 petit concombre, coupé en bâtonnets* ‖ *2 cuillerées à soupe de feuilles de menthe fraîche, grossièrement hachées* ‖ *2 cuillerées à soupe de feuilles de coriandre fraîche, grossièrement hachées* ‖ *1 carotte, râpée* ‖ *2 cuillerées à soupe de cacahuètes grillées et non salées, grossièrement hachées*

UN Mettre les champignons dans un plat creux supportant la chaleur, les recouvrir d'eau bouillante et fermer le tout par une assiette qui retiendra la chaleur prisonnière. Attendre 20 à 30 minutes jusqu'à ce qu'ils aient bien ramolli. Les égoutter et détacher les pieds. Bien enlever toute l'eau retenue dans les têtes des champignons et les découper en très fines lamelles. **DEUX** Mettre les vermicelles de riz dans un bol, les recouvrir d'eau bouillante et les y laisser, à couvert, pendant une dizaine de minutes. Égoutter alors les vermicelles en les rinçant à l'eau froide. Les réserver. **TROIS** Détremper les galettes de riz, en les plongeant une par une dans un saladier d'eau chaude pendant 30 à 60 secondes jusqu'à ce qu'elles ramollissent puis les étaler sur un linge propre et sec. **QUATRE** Déposer alors un peu de tous les ingrédients de la farce au milieu de la partie inférieure de la galette de riz, à enrouler dans la feuille comme un boudin, fermer les deux extrémités en les repliant vers l'intérieur et achever la confection du rouleau. **CINQ** Ces rouleaux peuvent se préparer 20 à 30 minutes avant d'être servis. Les réserver dans l'intervalle au réfrigérateur en les ayant recouverts de film alimentaire. Les servir accompagnés de la sauce au citron et au poisson.

Pour 8 rouleaux, entrée pour 4 personnes

VALEURS NUTRITIONNELLES PAR ROULEAU 290 kJ – 70 kcal – protéines : 2,7 g – hydrates de carbone : 8,8 g – sucres : 1,4 g – graisses : 2,7 g – acides gras saturés : 0,5 g – fibres : 0,8 g – sodium : 45 mg.

INFO SANTÉ La farce de ces rouleaux de printemps peut être confectionnée avec une très large gamme de légumes aux couleurs variées, ce qui les rend d'autant plus appétissants. De plus, ces légumes contribueront à apporter à l'organisme une grande variété d'éléments nutritifs qui lui sont indispensables.

Petits chaussons sautés à la poêle

Réputés pour attacher à la casserole, ces petits chaussons sont très appréciés dans le nord de la Chine où ils constituent parfois l'essentiel du repas. Dans cette recette, ils sont sautés à la poêle mais ils peuvent aussi être cuits à l'eau ou à la vapeur.

INGRÉDIENTS *300 g de farine* ‖ *25 cl d'eau chaude* ‖ *1 cuillerée à soupe d'huile de colza* ‖ *12 cl d'eau*

FARCE *100 g de courgettes, coupées en minces bâtonnets* ‖ *200 g de poulet, émincé* ‖ *1 petit oignon blanc, émincé* ‖ *1 cuillerée à soupe de gingembre frais, râpé* ‖ *1 cuillerée à café de vin de riz ou de xérès* ‖ *½ cuillerée à café de poivre noir fraîchement moulu* ‖ *2 cuillerées à soupe de shoyu ou de tamari*

UN Préparer d'abord la pâte en tamisant la farine dans un saladier. Ajouter doucement l'eau et pétrir l'ensemble pour obtenir une boule de pâte bien homogène. Recouvrir d'un linge humide ou d'un film alimentaire et laisser reposer la pâte à température ambiante pendant environ 30 minutes. **DEUX** Mélanger tous les ingrédients de la farce. **TROIS** Sur une surface légèrement farinée, rouler la pâte en un cylindre d'environ 1,5 cm de diamètre et le couper en tronçons de 1 cm de long, soit environ 18 morceaux. Les couvrir d'un film alimentaire pour empêcher la pâte de sécher. À l'aide d'un rouleau à pâtisserie, aplatir chaque cylindre en un cercle d'environ 7 cm de diamètre. Le centre du cercle doit être légèrement plus épais que les bords. **QUATRE** Déposer une pleine cuillerée à café de farce au centre de chaque cercle de pâte et refermer les chaussons en pressant bien l'un contre l'autre les bords des demi-cercles. **CINQ** Faire chauffer une grande poêle antiadhésive. Y verser l'huile et la répartir sur tout le fond. À feu doux, déposer dans la poêle les chaussons en laissant un peu d'espace entre chaque. Mettre à feu plus vif et verser l'eau. Couvrir la poêle et laisser cuire environ 10 minutes ou jusqu'à quasi-évaporation de l'eau. Découvrir la poêle et prolonger la cuisson de quelques minutes pour permettre aux chaussons de dorer légèrement sur une face. C'est celle-là précisément qui sera montrée au moment de servir.

Pour environ 18 chaussons

VALEURS NUTRITIONNELLES PAR CHAUSSON 284 kJ – 67 kcal – protéines : 4,5 g – hydrates de carbone : 10,8 g – sucres : 0,3 g – graisses : 1 g – acides gras saturés : 0,2 g – fibres : 0,5 g – sodium : 63 mg.

INFO SANTÉ Les courgettes ne sont pas caloriques et sont riches en bêta-carotène. Elles contiennent un peu de vitamine C et d'acide folique. Les légumes à chair orange et à feuilles vertes sont une source importante de vitamine A notamment pour les végétaliens dont l'alimentation exclut souvent un grand nombre d'aliments riches en vitamine A.

Feuilles de salade garnies

Les feuilles de salade garnies de poulet émincé sont un des plats typiques de la Chine du Sud. Dans la version végétarienne de cette recette, les feuilles de salade sont garnies d'un mélange de légumes et de tofu.

INGRÉDIENTS *6 champignons chinois séchés* | *1 cuillerée à soupe d'huile de colza ou d'olive* | *4 gousses d'ail, pressées* | *2 grosses échalotes, émincées* | *2 petit morceaux de gingembre frais, hachés* | *2 piments rouges, égrainés et émincés* | *8 châtaignes d'eau en conserve, coupées en dés* | *50 g de pousses de bambou en conserve, coupées en dés* | *150 g de carottes, coupées en dés* | *1 cuillerée à soupe de sauce hoï sin* | *2 cuillerées à café de shoyu ou de tamari* | *1 paquet de 350 g de tofu ferme, coupé en dés* | *15 cl de bouillon de légumes (voir page 17)* | *1 ½ cuillerée à café de Maïzena* | *4 petits oignons blancs, émincés* | *50 g de cerneaux de noix grillés* | *du poivre noir fraîchement moulu* | *2 salades, laitues ou batavias, en feuilles détachées*

UN Mettre les champignons dans un saladier supportant la chaleur, les recouvrir d'eau bouillante et fermer le tout par une assiette qui retiendra la vapeur prisonnière. Attendre 20 à 30 minutes jusqu'à ce qu'ils aient bien ramolli. Les égoutter et détacher les pieds. Bien retirer toute l'eau retenue dans les têtes et les hacher grossièrement. **DEUX** Dans une poêle antiadhésive ou dans un wok, faire chauffer l'huile à feu vif jusqu'à ce qu'elle grésille. Verser l'ail, les échalotes, le gingembre et les piments et les faire sauter pendant quelques minutes. **TROIS** Ajouter les châtaignes d'eau, les pousses de bambou et les carottes et laisser revenir le tout environ 5 minutes. Incorporer alors la sauce hoï sin et le shoyu, puis poivrer. Ajouter le tofu et mélanger doucement. Verser le bouillon de légumes et porter à ébullition. **QUATRE** Par ailleurs, dissoudre la Maïzena dans un bol avec un peu d'eau. Pousser les légumes sur les bords du wok ou de la poêle et verser la Maïzena au milieu. Quand la sauce commence à épaissir, incorporer les légumes et bien mélanger. **CINQ** Ajouter les oignons et les noix. **SIX** Déposer sur chaque feuille de salade une cuillerée de la préparation et la replier comme un petit paquet.

Entrée pour 4 à 6 personnes

VALEURS NUTRITIONNELLES PAR FEUILLE DE SALADE GARNIE 1 064 kJ - 250 kcal – protéines : 12 g – hydrates de carbone : 17,2 g – sucres : 8,1 g – graisses : 15,8 g – acides gras saturés : 1,7 g – fibres : 3,3 g – sodium : 181 mg.

INFO SANTÉ Les noix apportent une bonne quantité de vitamine B1 et de niacine (vitamine B3). D'après une récente étude menée aux États-Unis, il apparaît que le fait de manger 85 g de noix en lieu et place de graisses saturées et dans le cadre d'une alimentation pauvre en graisses peut abaisser le taux de cholestérol dans le sang. Un taux de cholestérol élevé implique une augmentation du risque de maladie cardio-vasculaire.

Toasts aux crevettes et aux graines de sésame

Ces toasts servent souvent d'amuse-gueules et de hors-d'œuvre en Occident. Cette variante peu grasse d'une recette requérant traditionnellement la friture comme mode de cuisson est rapide et facile à mettre en œuvre, et se fait avec du pain « français » et non avec du pain de mie en tranches.

INGRÉDIENTS *180 g de crevettes crues, hachées grossièrement* ‖ *½ gousse d'ail, écrasée* ‖ *½ cuillerée à café de gingembre frais, râpé* ‖ *1 blanc d'œuf, légèrement battu* ‖ *1 petit oignon blanc, grossièrement haché* ‖ *1 cuillerée à café de shoyu ou de tamari* ‖ *8 tranches de pain (baguettes) de 1,5 cm d'épaisseur* ‖ *1 cuillerée à café d'huile de colza ou d'olive* ‖ *1 cuillerée à soupe de graines de sésame, grillées*

UN Dans un bol mixer, réduire en une pâte homogène les crevettes, l'ail, le gingembre, le blanc d'œuf, l'oignon et le shoyu. Entreposer cette préparation au réfrigérateur au moins 20 minutes. **DEUX** Faire griller sur une face les tranches de pain. Enduire légèrement d'huile la face non grillée. **TROIS** Étaler une couche uniforme de préparation aux crevettes sur la face grillée et saupoudrer de graines de sésame. **QUATRE** Préchauffer le four à 240 °C (thermostat 9). Disposer les toasts sur une grille du four et enfourner le tout pendant une dizaine de minutes pour permettre à la pâte aux crevettes de cuire et aux tranches de pain de devenir croustillantes et de brunir.

Entrée pour 4 personnes

VALEURS NUTRITIONNELLES PAR TOAST 492 kJ – 117 kcal – protéines : 7,6 g – hydrates de carbone : 17,9 g – sucres : 1,1 g – graisses : 2,1 g – acides gras saturés : 0,2 g – fibres : 0,7 g – sodium : 255 mg.

INFO SANTÉ Les graines de sésame constituent une excellente source de protéines. Elles sont aussi riches en vitamine E, en calcium et en fibres. En cas de régime hyposodé, prendre des graines non salées. Bien que riches en graisses, elles contiennent surtout des « bonnes » graisses insaturées qui contribuent à faire baisser le taux de cholestérol dans le sang.

Salade de chou-rave et de carottes à la menthe

Dans la cuisine cantonaise, les légumes conservés dans le vinaigre sont toujours intégrés dans un mélange sucré-salé. Cette combinaison de goûts contribuerait, dit-on, à stimuler l'appétit et se prête tout à fait à l'élaboration d'amuse-gueules.

INGRÉDIENTS *250 g de carottes, émincées ‖ 150 g de chou-rave, émincé ‖ 20 cl d'eau ‖ 5 à 10 cl de vinaigre de vin blanc ‖ 1 cuillerée à soupe de cassonade ‖ ½ cuillerée à café de sel ‖ 2 grosses pincées de feuilles de menthe fraîche, hachées ‖ 2 grosses pincées de feuilles de coriandre fraîche, hachées*

UN Dans un grand saladier, mélanger tous les ingrédients sauf la menthe et la coriandre. Couvrir et réserver au réfrigérateur pendant environ 1 heure en remuant de temps en temps. **DEUX** Avant de servir, égoutter les carottes et le chou, sans conserver la marinade. Rincer les légumes à l'eau. Les verser dans le plat de service. Juste avant de servir, ajouter la menthe et la coriandre et bien mélanger le tout.

Entrée pour 4 personnes

VALEURS NUTRITIONNELLES PAR PERSONNE 161 kJ - 39 kcal – protéines : 1,2 g – hydrates de carbone : 7,9 g – sucres : 7,3 g – graisses : 0,3 g – acides gras saturés : 0,1 g – fibres : 2,3 g – sodium : 69 mg.

INFO SANTÉ Le chou-rave fait partie de la famille des crucifères qui englobe aussi le chou, le chou de Bruxelles et le brocoli. De nombreuses études scientifiques ont montré que ces légumes contiennent des éléments chimiques susceptibles de protéger l'organisme contre certaines formes de cancer. Le chou-rave, par exemple, contient des indoles (substances azotées protectrices) qui contribueraient à réduire les risques de cancer du sein.

Salade de crevettes et de pamplemousses

Cette recette vient de Thaïlande où le pomelo (hybride du pamplemousse et de l'orange de Chine) est un fruit d'hiver très courant. Il est beaucoup plus grand que ceux qu'on trouve en France avec une partie supérieure légèrement pointue, mais sa chair est plus sèche et plus croquante.

INGRÉDIENTS *400 g de grosses crevettes crues ou cuites, décortiquées* ‖ *2 gros pamplemousses ou 1 gros pomelo, épluchés et en quartiers* ‖ *1 petit oignon rouge, émincé* ‖ *1 petit avocat assez mûr et coupé en morceaux* ‖ *4 cuillerées à soupe de sauce au citron et au poisson (voir page 19)* ‖ *1 bonne pincée de feuilles de coriandre fraîche*

UN Si les crevettes sont crues, les plonger dans une casserole d'eau bouillante et les y laisser de 1 à 2 minutes, le temps qu'elles deviennent roses. Les retirer de l'eau à l'aide d'une écumoire et les laisser refroidir. **DEUX** Déposer dans le plat de service les quartiers de pamplemousses, l'oignon et l'avocat, puis les crevettes. Verser par-dessus la sauce et remuer pour que tout se mélange bien. **TROIS** Parsemer de feuilles de coriandre et servir immédiatement.

Entrée pour 4 personnes

VALEURS NUTRITIONNELLES PAR PERSONNE 766 kJ - 182 kcal – protéines : 19,7 g – hydrates de carbone : 14 g – sucres : 13,2 g – graisses : 5,7 g – acides gras saturés : 1,1 g – fibres : 2,9 g – sodium : 432 mg.

INFO SANTÉ Les pamplemousses et les pomelos contiennent beaucoup de vitamine C. Les membranes des quartiers apportent à l'organisme des fibres insolubles, à savoir de la pectine, qui contribuent à réduire le taux de cholestérol dans le sang.

Soupe au poulet et à la crème de maïs doux

Cette recette vient du sud de la Chine et elle est très appréciée des Occidentaux. La crème de maïs doux et les grains de maïs doux en conserve lui donnent une certaine texture qu'un peu de Maïzena épaissit.

INGRÉDIENTS *1,5 l de bouillon de poule (voir page 17)* ‖ *une boîte de 250 g de grains de maïs doux, semi-mixés* ‖ *une boîte de 250 g de maïs doux en grains* ‖ *100 g de poulet cuit, émietté* ‖ *½ cuillerée à café de poivre blanc fraîchement moulu* ‖ *2 œufs battus*

POUR ÉPAISSIR *2 cuillerées à café de Maïzena délayées dans 2 cuillerées à soupe de bouillon de poule*

UN Dans une grande casserole, faire chauffer le bouillon et le porter à ébullition. Y verser les deux sortes de maïs et remuer pendant environ 5 minutes. **DEUX** Ajouter le poulet et reporter à ébullition. Poivrer et, en tournant doucement, incorporer la Maïzena délayée. Retirer du feu. **TROIS** Tout en remuant avec une paire de baguettes, incorporer lentement les œufs battus. C'est le fait de remuer avec des baguettes qui transforme les œufs en fils fins. Servir immédiatement.

Pour 4 personnes

VALEURS NUTRITIONNELLES PAR PERSONNE 1 048 kJ – 249 kcal – protéines : 14,3 g – hydrates de carbone : 38,8 g – sucres : 6,8 g – graisses : 5,6 g – acides gras saturés : 1,5 g – fibres : 1 g – sodium : 256 mg.

INFO SANTÉ Les légumes en conserve sont un moyen économique et commode d'accroître sa consommation de légumes. Une portion de 80 g de maïs doux en conserve équivaut à une des cinq portions qu'il est recommandé de consommer chaque jour pour rester en bonne santé.

Soupe épicée et aigre

Cette soupe se prépare dans les cuisines du Sichuan et de Pékin. La recette traditionnelle met en œuvre du sang de poulet, mais cette variante végétarienne est épicée et piquante sans l'être trop toutefois.

INGRÉDIENTS *4 champignons chinois séchés* ‖ *1,5 l de bouillon de légumes (voir page 17)* ‖ *100 g de pousses de bambou, coupées en petits morceaux* ‖ *1 piment rouge, égrainé et émincé* ‖ *125 g de tofu ferme, coupé en dés* ‖ *1 œuf, légèrement battu*

POUR ASSAISONNER *1 cuillerée à soupe de xérès ou de vin de riz* ‖ *1 cuillerée à soupe de vinaigre de vin blanc* ‖ *1 cuillerée à soupe de jus de citron* ‖ *1 cuillerée à café de cassonade* ‖ *1 cuillerée à soupe de sauce de soja* ‖ *1 cuillerée à café de poivre noir fraîchement moulu*

POUR ÉPAISSIR *2 cuillerées à soupe de Maïzena délayées dans 4 cuillerées à soupe de bouillon de légumes*

AU MOMENT DE SERVIR *1 grosse pincée de feuilles de coriandre fraîche, hachées* ‖ *1 petit oignon blanc, émincé*

UN Mettre les champignons dans un saladier résistant à la chaleur, les recouvrir d'eau bouillante et fermer le tout par une assiette qui retiendra la vapeur prisonnière. Attendre 20 à 30 minutes. Les égoutter et détacher les pieds. Bien enlever toute l'eau retenue dans les têtes des champignons et les hacher grossièrement. **DEUX** Dans une grande casserole, porter le bouillon à ébullition, ajouter les champignons, les pousses de bambou et le piment. **TROIS** Verser tous les ingrédients de l'assaisonnement, ajouter le tofu et porter le tout jusqu'à ébullition. **QUATRE** Incorporer doucement, en tournant bien, la Maïzena délayée qui épaissira la soupe et porter une nouvelle fois à ébullition. **CINQ** Enlever du feu et, tout en tournant, en rond, dans le même sens, à l'aide d'une fourchette ou d'une paire de baguettes, ajouter l'œuf battu. **SIX** Au moment de servir, parsemer sur le dessus les feuilles de coriandre et les lamelles d'oignon.

Pour 4 personnes

VALEURS NUTRITIONNELLES PAR PERSONNE 1 102 kJ - 262 kcal – protéines : 19,9 g – hydrates de carbone : 32,2 g – sucres : 2 g – graisses : 6,2 g – acides gras saturés : 1,6 g – fibres : 0,5 g – sodium : 202 mg.

INFO SANTÉ La capsaïcine est l'élément constitutif du piment qui lui donne toute sa force. Des études ont montré que les piments pouvaient contribuer à faire baisser la tension et le taux de cholestérol dans le sang. Certaines personnes attribuent même aux piments le pouvoir de dégager les sinus bloqués.

Raviolis vapeur aux légumes et aux noix de cajou

Voici une recette d'Asie du Sud-Est. Elle requiert, il est vrai, une certaine minutie, mais il apparaît souvent que les futurs convives, parents ou amis, apprécient de mettre la main à la pâte en se pourléchant par avance les babines.

INGRÉDIENTS *3 cuillerées à soupe de farine de riz glutineuse* ‖ *275 g de farine de riz* ‖ *3 cuillerées à soupe d'arrow-root* ‖ *35 cl d'eau* ‖ *1 cuillerée à soupe d'huile de colza ou d'olive*

FARCE *2 gousses d'ail, écrasées* ‖ *150 g de pousses de bambou, finement hachées* ‖ *150 g de carottes, râpées* ‖ *200 g de noix de cajou non salées, grillées et grossièrement hachées* ‖ *2 petits oignons blancs, finement hachés* ‖ *2 grosses pincées de feuilles de coriandre fraîche, hachées* ‖ *1 œuf* ‖ *1 cuillerée à soupe de Maïzena* ‖ *1 cuillerée à soupe de shoyu ou de tamari* ‖ *1 cuillerée à soupe de sauce au poisson thaï*

UN Préparer la pâte en mettant dans une casserole les deux sortes de farine et une cuillerée à soupe d'arrow-root. L'arrow-root authentique est une fécule extraite des rhizomes de la *Marantha arundinacea*. Le tapioca (fécule de manioc) peut tout à fait servir de substitut. Ajouter l'eau et l'huile et mélanger. Mettre à feu moyen sans cesser de remuer jusqu'à formation d'une boule qui laisse tout propres les parois de la casserole. **DEUX** Déposer la pâte dans un saladier et, tant qu'elle se tient en forme, la pétrir pendant 2 à 3 minutes jusqu'à ce qu'elle s'amollisse et devienne brillante. La couvrir d'un film alimentaire et la réserver. **TROIS** Dans un grand saladier mélanger tous les ingrédients de la farce. **QUATRE** Façonner à la main des petites boules de pâte d'environ 1 cm de diamètre puis, à l'aide d'un rouleau à pâtisserie, les aplatir en ronds d'environ 7 cm de diamètre. **CINQ** Déposer au centre de chaque rond de pâte une bonne cuillerée de farce et replier en deux en pressant l'un contre l'autre les bords des demi-cercles ainsi obtenus. **SIX** Mettre environ 5 cm d'eau au fond d'un wok puis, au-dessus, une grille en métal ou en bois et porter l'eau à ébullition. **SEPT** Tapisser de papier sulfurisé le fond d'un panier de cuisson en bambou. **HUIT** Déposer dans ce panier 8 à 10 raviolis et le placer sur la grille dans le wok. Couvrir et laisser cuire à la vapeur pendant 10 à 12 minutes pour que la pâte ait le temps de cuire et devienne translucide. Vérifier de temps en temps le niveau de l'eau dans le wok et compléter si nécessaire. Servir accompagné de sauce au piment *(voir page 21)* ou de sauce à l'ananas *(voir page 21)*.

Hors-d'œuvre ou collation pour 8 personnes

VALEURS NUTRITIONNELLES PAR RAVIOLI 1 520 kJ – 364 kcal – protéines : 8,3 g – hydrates de carbone : 49,7 g – sucres : 2,8 g – graisses : 14,5 g – acides gras saturés : 3 g – fibres : 1,7 g – sodium : 134 mg.

INFO SANTÉ Les cuisines asiatique et orientale utilisent la coriandre pour parfumer les curries, les salades et les sauces. La médecine populaire s'en sert pour traiter les infections urinaires.

Soupe à la courge et au tofu

Il est assez rare de trouver dans la cuisine traditionnelle chinoise des soupes moulinées, si fréquentes dans d'autres parties du monde. Cette recette est si incroyablement crémeuse et délicieuse qu'on pourrait croire qu'elle est réalisée avec du lait ou de la crème. Le potiron peut très bien remplacer la courge dans cette recette.

INGRÉDIENTS *1 gros oignon, grossièrement haché* ‖ *150 g de carottes, coupées en gros tronçons* ‖ *1 courge pesant entre 600 et 750 g, épluchée et coupée en gros morceaux* ‖ *1 petit morceau de gingembre frais* ‖ *60 cl de bouillon de légumes* (voir page 17) ‖ *250 g de tofu mou, grossièrement haché*

UN Dans une grande casserole faire cuire l'oignon, à l'étouffée et à feu doux, pendant environ 10 minutes. **DEUX** Ajouter les carottes, la courge, le gingembre et le bouillon et, à feu vif, porter le tout à ébullition. **TROIS** Laisser alors cuire à feu doux pendant 25 à 30 minutes pour que les légumes ramollissent bien. **QUATRE** Ajouter le tofu, mélanger et porter à nouveau à ébullition, à feu moyen. **CINQ** Passer le tout au mixer pendant 30 secondes pour donner à la soupe une consistance moelleuse et crémeuse.

Pour 4 à 6 personnes

VALEURS NUTRITIONNELLES PAR PERSONNE 611 kJ – 145 kcal – protéines : 8 g – hydrates de carbone : 22,9 g – sucres : 14,3 g – graisses : 3,1 g – acides gras saturés : 0,4 g – fibres : 4,5 g – sodium : 21 mg.

INFO SANTÉ La courge est riche en bêta-carotène et vitamine E. Ce sont tous deux des antioxydants qui protègent l'organisme des radicaux libres qui peuvent parfois augmenter les risques de maladies cardio-vasculaires et de certains cancers.

Soupe aux wontons

Les wontons sont des petits raviolis souvent servis dans une soupe, soit seuls, soit avec des nouilles ; dans les pays orientaux on en trouve très souvent auprès des marchands ambulants. On peut acheter des pâtes ou feuilles de wontons au rayon des produits frais des supermarchés chinois. On peut aussi les congeler, de préférence d'ailleurs le jour où on les achète.

INGRÉDIENTS *45 pâtes ou feuilles de wontons* ‖ *1,5 l de bouillon de porc (voir page 18) ou de bouillon de poulet (voir page 17)* ‖ *8 feuilles de bettes, coupées en morceaux* ‖ *2 petits oignons blancs, émincés*

FARCE *100 g de porc maigre ou de poulet, émincé* ‖ *100 g de crevettes crues, coupées en gros morceaux* ‖ *2 petits oignons blancs, émincés* ‖ *2 petits morceaux de gingembre frais, pelés et râpés* ‖ *75 g de pousses de bambou, hachées finement* ‖ *1 blanc d'œuf, légèrement battu* ‖ *1 cuillerée à café de shoyu ou de tamari* ‖ *½ cuillerée à café de poivre noir fraîchement moulu* ‖ *1 cuillerée à café de vin de riz chinois ou de xérès* ‖ *1 cuillerée à café d'huile de sésame* ‖ *1 cuillerée à café de Maïzena*

UN Dans un grand saladier, mélanger de façon bien homogène les ingrédients de la farce. **DEUX** Déposer au centre de chaque pâte ou feuille de wonton une demi-cuillerée à café de cette farce. Mouiller à l'eau deux des bords de chaque pâte ou feuille et replier de façon à former un triangle. **TROIS** Porter à ébullition une grande casserole d'eau. Pendant ce temps, faire chauffer le bouillon dans une autre casserole avec les feuilles de bettes. **QUATRE** Plonger délicatement une poignée de wontons dans l'eau bouillante, à l'aide d'une écumoire. Remuer doucement pour les séparer les uns des autres et pour veiller à ce qu'aucun ne reste collé au fond de la casserole. **CINQ** Reporter l'eau à ébullition et laisser cuire les wontons, à découvert, pendant 5 à 6 minutes jusqu'à ce qu'ils soient cuits et remontent à la surface. Les déposer alors dans une soupière. **SIX** Au moment de servir, verser le bouillon sur les wontons dans la soupière et parsemer de rondelles d'oignons.

Entrée pour 5 ou 6 personnes

VALEURS NUTRITIONNELLES PAR PERSONNE 389 kJ – 92 kcal – protéines : 11,7 g – hydrates de carbone : 8 g – sucres : 0,3 g – graisses : 1,4 g – acides gras saturés : 0,4 g – fibres : 0,2 g – sodium : 203 mg.

INFO SANTÉ Dans la recette traditionnelle on utilise un morceau de porc gras pour la farce. Le fait de prendre un morceau de porc maigre ou de poulet allège en graisses les wontons. Servis avec des nouilles ou des légumes, ils constituent un repas complet, léger et peu gras.

Tofu et champignons dans un bouillon parfumé à la citronnelle
Cette soupe peu grasse est facile à préparer et constitue une excellente entrée pour un repas végétarien.

INGRÉDIENTS *1 l de bouillon de légumes (voir page 17)* ‖ *2 tiges de citronnelle, légèrement écrasées* ‖ *1 piment rouge, haché* ‖ *2 cuillerées à café de shoyu ou de tamari* ‖ *1 pincée de poivre blanc* ‖ *200 g de champignons de Paris, coupés en tranches* ‖ *250 g de tofu ferme, coupé en dés* ‖ *le jus de ½ citron* ‖ *1 poignée de feuilles de basilic frais* ‖ *2 petits oignons blancs, émincés dans le sens de la longueur*

UN Dans une casserole, porter le bouillon à ébullition, ajouter la citronnelle et le piment, puis laisser mijoter à couvert, pendant 15 à 20 minutes. **DEUX** Épicer le bouillon avec le poivre et le shoyu. **TROIS** Ajouter les champignons et le tofu et laisser cuire 5 à 10 minutes. **QUATRE** Ajouter le citron, le basilic et les oignons et remuer doucement. Servir immédiatement.

Hors-d'œuvre pour 4 personnes

VALEURS NUTRITIONNELLES PAR PERSONNE 414 kJ – 99 kcal – protéines : 12,1 g – hydrates de carbone : 1,3 g – sucres : 0,5 g – graisses : 4,9 g – acides gras saturés : 0,9 g – fibres : 0,7 g – sodium : 479 mg.

INFO SANTÉ Le tofu, c'est-à-dire la pâte de soja, est une excellente source d'hormones végétales, les phytœstrogènes. D'après certaines recherches, le soja et les produits dérivés du soja, comme le tofu, pourraient contribuer à prévenir le cancer du sein et l'ostéoporose et atténuer les symptômes de la ménopause.

Viandes

Bœuf sauté à la sauce à l'ail et aux piments

Cette recette est une adaptation d'un plat thaï dont le nom pourrait se traduire littéralement par « bœuf agité » par suite du bruit que fait la poêle qui doit être fortement agitée lors de la cuisson de la viande. Ce plat s'accompagne parfaitement de riz gluant (*voir page 141*) ou de riz blanc nature (*voir page 140*) et de légumes sautés.

INGRÉDIENTS *400 g d'aloyau de bœuf, coupé en tranches de 1 cm d'épaisseur* ‖ *1 cuillerée à café d'huile de sésame*

SAUCE À L'AIL ET AU PIMENT *2 gousses d'ail, écrasées* ‖ *1 cuillerée à café de shoyu ou de tamari* ‖ *1 cuillerée à café de cassonade* ‖ *2 piments rouges, égrainés et finement hachés* ‖ *1 cuillerée à café de jus de citron vert*

UN Frapper la viande des deux côtés avec un attendrisseur pour l'aplatir un peu plus qu'elle n'est. **DEUX** À l'aide d'un pinceau, enduire la viande d'huile de sésame et la réserver. **TROIS** Dans un petit bol, mélanger tous les ingrédients composant la sauce et la réserver. **QUATRE** Faire préchauffer le gril et quand il sera très chaud, y déposer la viande. Pour une cuisson à point, la faire cuire environ 1 minute 30 de chaque côté jusqu'à ce qu'elle brunisse. La retirer du gril et la laisser reposer environ 1 minute puis la découper en lamelles de 1 cm de large. **CINQ** Servir la viande avec la sauce d'accompagnement.

Pour 4 personnes avec 2 autres plats principaux

VALEURS NUTRITIONNELLES PAR PERSONNE 630 kJ – 150 kcal – protéines : 23,9 g – hydrates de carbone : 1,9 g – sucres : 1,4 g – graisses : 5,3 g – acides gras saturés : 2,1 g – fibres : 0,1 g – sodium : 196 mg.

INFO SANTÉ Le bœuf apporte à l'organisme des minéraux et des oligo-éléments qui lui sont très utiles : du fer, indispensable pour le sang ; du zinc, important pour la croissance et le développement ; du manganèse, utile pour la solidité des os ; du sélénium, vital pour le développement sexuel.

Bœuf aux carottes et aux piments

Ce plat classique est d'origine pékinoise : on y fait revenir des lamelles de bœuf frites avec de fins bâtons de carottes dans une sauce bien relevée. Dans la variante allégée en graisses, la viande est toujours précuite mais elle absorbe moins d'huile puisque les lamelles de bœuf ont été enduites de Maïzena et sautées à la poêle avant d'être mélangées aux légumes. Ce plat s'accompagne très bien de nouilles de riz nature et de chou sauté *(voir page 107)*.

INGRÉDIENTS *400 g de rumsteck coupé en fines lamelles de 6 cm de long ‖ 2 cuillerées à soupe de Maïzena ‖ 1 cuillerée à café d'huile de colza ou d'olive ‖ 2 gousses d'ail, écrasées ‖ 2 ou 3 piments rouges, égrainés et coupés en lanières ‖ 400 g de carottes, coupées en fines lamelles de 5 cm de long ‖ 2 cuillerées à café de vin de riz chinois ou de xérès ‖ 2 cuillerées à café de vinaigre de vin de riz ‖ ½ cuillerée à soupe de ketchup ‖ 1 cuillerée à café de cassonade ‖ 2 cuillerées à café de shoyu ou de tamari ‖ 3 petits oignons blancs, émincés, pour décorer*

UN Mettre la viande dans un saladier, la saupoudrer de Maïzena et bien remuer le tout. **DEUX** Dans une poêle antiadhésive, faire chauffer l'huile jusqu'à ce qu'elle grésille. Ajouter les morceaux de viande et les laisser cuire 1 minute de chaque côté. Les retirer de la poêle et les réserver. **TROIS** Mettre dans la poêle l'ail et les piments et les faire sauter pendant quelques secondes. Ajouter alors les carottes, le vin de riz, le vinaigre, le ketchup, la cassonade et le shoyu. Laisser revenir pendant encore 1 minute. **QUATRE** Mélanger la viande avec les légumes. Décorer, avant de servir, avec les rondelles d'oignon.

Pour 4 personnes avec 2 autres plats principaux

VALEURS NUTRITIONNELLES PAR PERSONNE 953 kJ – 227 kcal – protéines : 23,1 g – hydrates de carbone : 16,9 g – sucres : 9,1 g – graisses : 7,3 g – acides gras saturés : 2,2 g – fibres : 2,6 g – sodium : 174 mg.

INFO SANTÉ Les carottes sont plus nourrissantes cuites que crues. Cela vient du fait que la cuisson permet de briser les parois cellulaires des carottes et de rendre ainsi le bêta-carotène (l'équivalent végétal de la vitamine A) plus facilement assimilable par l'organisme.

Bœuf aux poivrons jaunes et à la pâte de soja noire

Cette variante d'un plat populaire de Canton s'apprête avec du bouillon de bœuf, ce qui enrichit la sauce et la rend plus goûteuse sans qu'il soit nécessaire d'ajouter du sel ou du glutamate de sodium. Cette excellente recette peut s'accompagner d'un bok choy sauté aux shii-takes *(voir page 108)*.

INGRÉDIENTS *½ cuillerée à soupe d'huile d'olive* ‖ *1 cuillerée à soupe de pâte de soja noire* ‖ *400 g de bœuf dans le rumsteck ou le filet, coupé en petites tranches* ‖ *1 piment rouge, égrainé et coupé en lamelles* ‖ *100 g d'oignons, coupés en quartiers* ‖ *300 g de poivrons jaunes, égrainés et coupés en morceaux* ‖ *20 cl de bouillon de bœuf (voir page 18)*

POUR ÉPAISSIR *1 cuillerée à café de Maïzena délayée dans 1 cuillerée à soupe d'eau ou de bouillon*

UN Faire chauffer l'huile à feu vif dans une poêle antiadhésive. Ajouter la pâte de soja noire et la faire revenir pendant quelques secondes puis ajouter les morceaux de viande et les faire sauter pendant environ 1 minute jusqu'à mi-cuisson. **DEUX** Mélanger le piment, les oignons et les poivrons et les faire revenir pendant 1 à 2 minutes. **TROIS** Ajouter le bouillon et porter le tout à ébullition. **QUATRE** Incorporer lentement la Maïzena délayée et remuer jusqu'à ce que la sauce épaississe et devienne translucide. Servir immédiatement.

Pour 4 personnes avec 2 autres plats principaux

VALEURS NUTRITIONNELLES PAR PERSONNE 817 kJ – 195 kcal – protéines : 23,6 g – hydrates de carbone : 6,7 g – sucres : 3,7 g – graisses : 8,4 g – acides gras saturés : 3,2 g – fibres : 1 g – sodium : 221 mg.

INFO SANTÉ Les morceaux de bœuf maigres, tels que le filet et le rumsteck, contiennent beaucoup de fer, nécessaire à la qualité du sang dans l'organisme. Pour alléger ce plat en graisses, il suffit d'enlever tout gras visible dans la viande.

Bœuf à la sauce aux huîtres

C'est là un plat qu'on trouve souvent chez les traiteurs. Les mange-tout qui entrent dans sa composition ajoutent une petite touche croquante à ce succulent plat en sauce. Les filets de bar à la vapeur aux petits oignons et au gingembre *(voir page 98)* peuvent très agréablement être servis en même temps que cette recette lors d'un repas de famille.

INGRÉDIENTS *400 g de mange-tout* ‖ *1 cuillerée à soupe d'huile de colza ou d'olive* ‖ *1 gousse d'ail, écrasée* ‖ *500 g de bœuf dans le filet, coupé en minces tranches* ‖ *5 cl de bouillon de bœuf (voir page 18)* ‖ *1 cuillerée à soupe de sauce aux huîtres*

POUR ÉPAISSIR *½ cuillerée à soupe de Maïzena délayée dans 2 cuillerées à soupe d'eau*

UN Faire blanchir les mange-tout en les plongeant 30 secondes dans une grande casserole d'eau bouillante. Les en retirer à l'aide d'une écumoire et les déposer sur un plat de service. **DEUX** Faire chauffer l'huile à feu vif dans une poêle antiadhésive. Y faire sauter l'ail pendant quelques secondes jusqu'à ce qu'il embaume et commence à brunir. **TROIS** Ajouter la viande en laissant cuire les tranches 1 minute de chaque côté. **QUATRE** Verser par-dessus le bouillon et la sauce aux huîtres et remuer de façon que le mélange soit homogène. Incorporer doucement la Maïzena délayée et laisser cuire jusqu'à ce que la sauce épaississe. **CINQ** Verser le contenu de la poêle sur les mange-tout et servir immédiatement.

Pour 4 personnes avec 2 autres plats principaux

VALEURS NUTRITIONNELLES PAR PERSONNE 902 kJ – 215 kcal – protéines : 28,6 g – hydrates de carbone : 8,4 g – sucres : 3,4 g – graisses : 7,6 g – acides gras saturés : 2,3 g – fibres : 2,3 g – sodium : 228 mg.

INFO SANTÉ Les mange-tout sont très riches en vitamine C. On peut les manger crus dans des salades ou sautés dans des plats orientaux.

Bœuf aux tomates

Ce plat figure très souvent sur la carte des traiteurs. Il est essentiel de choisir un morceau de bœuf maigre et de bonne qualité au risque sinon de se retrouver avec un plat immangeable. Ce bœuf s'accompagne très bien de légumes chop suey *(voir page 122).*

INGRÉDIENTS *1 cuillerée à café de shoyu ou de tamari* ‖ *2 cuillerées à café de Maïzena* ‖ *2 cuillerées à café de vin de riz chinois ou de xérès* ‖ *500 g de bœuf dans le rumsteck, coupé en fines tranches* ‖ *1 cuillerée à soupe d'huile de colza ou d'olive* ‖ *2 gousses d'ail, émincées* ‖ *2 petits morceaux de gingembre frais, pelés et râpés* ‖ *500 g de tomates fraîches, de préférence des olivettes* ‖ *5 cl de bouillon de bœuf (voir page 18)*

POUR ÉPAISSIR *1 cuillerée à café de Maïzena délayée dans 1 cuillerée à soupe d'eau*

UN Mélanger le shoyu, la maïzena et le vin de riz et en enduire les tranches de viande. Les laisser mariner pendant 10 minutes. **DEUX** Dans une poêle antiadhésive, faire chauffer l'huile à feu vif. Ajouter l'ail et le gingembre et les faire sauter quelques secondes. **TROIS** Ajouter les tranches de viande et les faire cuire 1 minute de chaque côté. Les retirer du feu et les réserver. **QUATRE** Dans la même poêle, mettre les tomates et les laisser cuire à feu moyen pendant 1 minute avant d'ajouter le bouillon. Réduire le feu, couvrir la poêle et laisser les tomates mijoter pendant 5 minutes. **CINQ** Remettre les tranches de viande dans la poêle et bien remuer en un tout homogène. Incorporer la Maïzena délayée et continuer à remuer jusqu'à ce que la sauce épaississe et devienne translucide.

Pour 4 personnes avec 2 autres plats principaux

VALEURS NUTRITIONNELLES PAR PERSONNE 896 kJ - 213 kcal – protéines : 25,8 g – hydrates de carbone : 9,9 g – sucres : 3,6 g – graisses : 7,8 g – acides gras saturés : 2,4 g – fibres : 1,2 g – sodium : 123 mg.

INFO SANTÉ Les tomates sont riches en lycopène, pigment qui leur donne leur couleur rouge. Les recherches ont montré que le lycopène pouvait prévenir certaines formes de cancer comme celui de la prostate. La cuisson rend le lycopène des tomates plus facilement assimilable par l'organisme.

Bœuf épicé et ragoût de légumes

C'est une recette vietnamienne qui ne ressemble pas à proprement parler à un ragoût mais plutôt à un pot-au-feu. Elle s'accompagne très bien d'ignames (faire cuire à la vapeur et à feu vif pendant 20 minutes des rondelles d'ignames préalablement épluchées) et de brocolis aux graines de sésame *(voir page III).*

INGRÉDIENTS *1 cuillerée à soupe d'huile de colza ou d'olive ‖ 1 gros oignon, haché ‖ 4 petits morceaux de gingembre frais, pelés et hachés grossièrement ‖ 2 piments frais, égrainés et émincés ‖ 500 g de bœuf maigre à braiser, coupé en morceaux de 2 à 3 cm ‖ 2 gousses d'ail, écrasées ‖ ½ l de bouillon de bœuf (voir page 18) ‖ 5 étoiles d'anis ‖ 1 cuillerée à café de poudre de cinq-épices ‖ 1 bâton de cannelle ‖ 1 cuillerée à café de graines de fenouil ‖ 2 feuilles de limettier, séchées ‖ 1 tige de citronnelle, hachée ‖ 1 cuillerée à café de poivre noir en grains ‖ 2 cuillerées à café de shoyu ou de tamari ‖ 400 g de carottes, coupées en rondelles de 1 cm d'épaisseur ‖ 500 g de navets, coupés en tranches de 1 cm d'épaisseur ‖ de la ciboulette fraîche, pour décorer*

UN Dans une sauteuse antiadhésive ou un wok, faire chauffer l'huile à feu vif. **DEUX** Ajouter l'oignon, le gingembre et les piments. Remuer et laisser cuire à feu moyen pendant 5 à 7 minutes. **TROIS** Mettre à feu plus vif et y faire sauter le bœuf pendant 5 à 10 minutes jusqu'à ce qu'il dore, en remuant de temps en temps. **QUATRE** Ajouter l'ail, le bouillon, l'anis étoilé, la poudre de cinq-épices, la cannelle, les graines de fenouil, les feuilles de limettier, la citronnelle, le poivre et le shoyu. Remuer et porter le tout à ébullition. Baisser alors le feu et laisser mijoter. Couvrir la poêle et laisser cuire à feu doux pendant 1 heure 30 en remuant de temps en temps. Ajouter les carottes et les navets et laisser encore cuire, à couvert, pendant 45 minutes ou jusqu'à ce que les légumes soient tendres. **CINQ** Avant de servir, écumer tout gras apparaissant en surface et saupoudrer de ciboulette fraîche.

Plat principal pour 4 personnes

VALEURS NUTRITIONNELLES PAR PERSONNE 1 183 kJ – 283 kcal – protéines : 30,5 g – hydrates de carbone : 17,8 g – sucres : 14,6 g – graisses : 10,7 g – acides gras saturés : 3,5 g – fibres : 3,4 g – sodium : 393 mg.

INFO SANTÉ Les ragoûts et les sautés se prêtent parfaitement à des combinaisons de légumes racines, comme les carottes et les navets utilisés dans cette recette. Ils peuvent compter pour l'une des cinq portions quotidiennes de fruits et légumes nécessaires pour se maintenir en bonne santé.

Boulettes de porc à la vapeur et à la sauce aux prunes

C'est la variante d'un plat régional du sud de la Chine qui recourt à un mode de cuisson très sain. Ce plat s'accompagne très bien de riz gluant *(voir page 141)* et de brocolis aux graines de sésame *(voir page 111)*.

INGRÉDIENTS *500 g de porc maigre, haché* ‖ *2 cuillerées à café de shoyu ou de tamari* ‖ *1 cuillerée à café d'huile de sésame* ‖ *1 petite échalote, finement hachée* ‖ *1 œuf, légèrement battu* ‖ *1 cuillerée à soupe de Maïzena* ‖ *quelques feuilles de coriandre fraîche pour décorer*

SAUCE AUX PRUNES *1 étoile d'anis, écrasée* ‖ *½ cuillerée à café d'écorce d'orange, râpée* ‖ *2 grosses échalotes, hachées* ‖ *1 cuillerée à soupe de gingembre frais, râpé* ‖ *2 cuillerées à soupe de bouillon de légumes (voir page 17)* ‖ *1 cuillerée à soupe de sauce aux prunes* ‖ *500 g de prunes rouges, dénoyautées et coupées en quatre*

UN Dans un saladier, mélanger la viande, le shoyu, l'huile de sésame, l'échalote, l'œuf et la Maïzena. Le couvrir et le réserver 20 minutes dans le réfrigérateur. **DEUX** Pendant ce temps, préparer la sauce aux prunes. Faire mijoter à feu moyen dans une casserole l'anis étoilé, l'écorce d'orange, les échalotes, le gingembre, le bouillon, la sauce aux prunes et les prunes, pendant environ 15 minutes pour que les prunes ramollissent. Retirer la casserole du feu et laisser refroidir. **TROIS** Verser environ 5 cm d'eau dans le fond d'un wok. Déposer dans le wok, au-dessus de l'eau, une grille en métal ou en bois et porter l'eau à ébullition. **QUATRE** Confectionner les boulettes de viande en prenant chaque fois une cuillerée à soupe de la préparation et en la modelant avec les mains. **CINQ** Placer les boulettes dans un saladier supportant la chaleur et le poser sur la grille dans le wok. Couvrir le wok et laisser cuire ainsi les boulettes à la vapeur, à feu vif, pendant 10 à 12 minutes. Vérifier de temps en temps qu'il reste assez d'eau dans le wok. En compléter le niveau si nécessaire. **SIX** Présenter les boulettes de porc sur un plat de service avec la sauce aux prunes, le tout décoré des feuilles de coriandre.

Pour 4 personnes avec 2 autres plats principaux

VALEURS NUTRITIONNELLES PAR PERSONNE 1 124 kJ – 266 kcal – protéines : 30,7 g – hydrates de carbone : 19,9 g – sucres : 12,6 g – graisses : 7,8 g – acides gras saturés : 2,4 g – fibres : 2,4 g – sodium : 194 mg.

INFO SANTÉ Les prunes sont riches en vitamine E, qui agit comme un antioxydant en contribuant à protéger les cellules des dommages causés par les radicaux libres et qui peut contribuer à réduire certains signes de vieillissement.

Porc à la sauce aigre-douce

Ce plat cantonais, à l'origine, est extrêmement courant chez les traiteurs ou dans les restaurants chinois. La recette donnée ici s'apprête à des morceaux de porc moins gras que ceux de la recette traditionnelle. Chacun peut agrémenter ce mets à sa guise et l'accompagner par exemple de légumes de chop suey *(voir page 122)* et de riz sauté aux fruits et aux légumes *(voir page 138)*.

INGRÉDIENTS *1 blanc d'œuf, légèrement battu* ‖ *1 cuillerée à café de poivre noir fraîchement moulu* ‖ *500 g de porc dans le filet ou dans l'échine, coupé en lamelles de 1 cm d'épaisseur* ‖ *4 cuillerées à soupe de Maïzena* ‖ *1 cuillerée à soupe d'huile de colza ou d'olive*

SAUCE AIGRE-DOUCE *3 cuillerées à soupe de ketchup* ‖ *1 cuillerée à café de vinaigre de vin blanc* ‖ *200 g de tomates fraîches, coupées en morceaux* ‖ *4 cuillerées à soupe de jus d'ananas* ‖ *2 cuillerées à café de sucre* ‖ *20 cl d'eau* ‖ *150 g d'ananas en morceaux* ‖ *150 g de poivrons verts, égrainés et coupés en petits morceaux de 2 à 3 cm* ‖ *125 g d'oignons, coupés en petits cubes de 2 à 3 cm* ‖ *le jus de 1 citron*

POUR ÉPAISSIR *5 cuillerées à café de Maïzena délayées dans 5 cuillerées à soupe de bouillon ou d'eau*

UN Mélanger le blanc d'œuf et le poivre et en enduire les tranches de viande. Les tremper dans la Maïzena et les secouer un peu pour enlever l'excédent. **DEUX** Dans une poêle antiadhésive, faire chauffer l'huile à feu vif jusqu'à ce qu'elle grésille. **TROIS** Déposer alors les lamelles de viande en veillant bien à ce qu'elles ne se touchent pas les unes les autres et les laisser cuire pendant 2 minutes de chaque côté. Laisser cuire, à feu moyen, pendant 2 minutes supplémentaires pour que la viande soit cuite à cœur. Mettre sur un plat de service et garder au chaud. **QUATRE** Préparer la sauce aigre-douce en mélangeant tous les ingrédients dans une petite casserole. Porter à ébullition et faire épaissir avec la Maïzena délayée. **CINQ** Verser la sauce sur la viande et servir.

Pour 4 personnes avec 2 autres plats principaux

VALEURS NUTRITIONNELLES PAR PERSONNE 1 570 kJ – 372 kcal – protéines : 26,9 g – hydrates de carbone : 44,9 g – sucres : 9,7 g – graisses : 10,7 g – acides gras saturés : 3,1 g – fibres : 1,6 g – sodium : 249 mg.

INFO SANTÉ Les poivrons sont riches en vitamine C et en bêta-carotène qui tous deux agissent comme des antioxydants et contribuent à débarrasser l'organisme des radicaux libres. La vitamine C, en outre, favorise la bonne santé de la peau et le développement des défenses immunitaires.

Travers de porc

Ce plat est une des valeurs sûres de la cuisine chinoise. En voici, entre autres, une variante. Accompagnés de petits pains à la vapeur *(voir page 137)* et de feuilles de salade garnies *(voir page 28)*, ces travers de porc se prêteront tout à fait à un déjeuner dominical un peu festif.

INGRÉDIENTS *1 kg de travers de porc* ‖ *1 à 1,5 l de bouillon de légumes (voir page 17) ou un bouillon de viande (voir page 18)*

MARINADE *1 cuillerée à café de poudre de cinq-épices* ‖ *2 étoiles d'anis* ‖ *1 cuillerée à soupe de poivre du Sichuan en grains* ‖ *1 cuillerée à soupe de poivre noir en grains* ‖ *2 grosses échalotes, hachées* ‖ *1 cuillerée à soupe de sauce hoï sin* ‖ *1 cuillerée à soupe de shoyu ou de tamari* ‖ *6 petits morceaux de gingembre frais, pelés et râpés* ‖ *6 petits oignons blancs, hachés* ‖ *2 feuilles de laurier, émiettées* ‖ *1 orange, coupée en quartiers*

POUR ÉPAISSIR *(facultatif) 4 cuillerées à café de Maïzena délayées dans 4 cuillerées à soupe d'eau*

UN Mélanger tous les ingrédients de la marinade et en enduire les travers. Les laisser mariner dans un plat creux, placé au réfrigérateur, pendant 2 ou 3 heures au minimum, mais de préférence toute une nuit. **DEUX** Tapisser un plat allant au four d'une grande feuille de papier aluminium. Déposer dans le plat les travers et verser par-dessus la marinade et le bouillon. Dans un four préchauffé à 240 °C (thermostat 9) laisser cuire les travers pendant 1 heure avant de les retourner. **TROIS** Baisser la température du four à 180 °C (thermostat 4) et laisser cuire encore pendant 45 minutes pour que les travers prennent une belle couleur brune. **QUATRE** À l'aide d'une écumoire, déposer les travers sur un plat de service. Verser dans une petite casserole la sauce restant dans le plat de cuisson et l'épaissir, option facultative, avec la Maïzena délayée en remuant jusqu'à ce qu'elle épaississe et devienne translucide.

Pour 4 personnes

VALEURS NUTRITIONNELLES PAR PERSONNE 1 993 kJ – 275 kcal – protéines : 62,7 g – hydrates de carbone : 10,9 g – sucres : 6,7 g – graisses : 20,5 g – acides gras saturés : 7,2 g – fibres : 1,5 g – sodium : 297 mg.

INFO SANTÉ Les travers peuvent être très gras, surtout s'ils sont frits. Le fait de retirer tout gras visible avant et après la cuisson contribuera à réduire leur teneur en graisses.

Porc rôti

Cette variante du « char siu » a comme particularité de ne pas donner à la viande cette couleur rouge qu'on lui voit généralement chez les traiteurs ou dans les restaurants. C'est le vinaigre dans la marinade qui donne à la surface de la viande, une fois rôtie, cette alléchante couleur brune. Le poivre du Sichuan parfume le plat d'une saveur d'agrumes sans anesthésier les papilles gustatives. Servir accompagné d'un riz sauté aux fruits et aux légumes *(voir page 138)*.

INGRÉDIENTS *500 g de porc dans l'échine, désossé ‖ 2 cuillerées à soupe de vinaigre de vin rouge chinois ou de vinaigre balsamique ‖ 1 cuillerée à soupe de graines de fenouil ‖ ½ cuillerée à soupe d'huile d'olive ‖ 1 cuillerée à soupe de grains de poivre du Sichuan, concassés*

UN Dans un plat à rôtir, mettre la viande avec le vinaigre, les graines de fenouil et l'huile d'olive. Saupoudrer le poivre (ne pas le toucher avec les doigts car il peut provoquer autant d'irritation que les piments) et laisser mariner le tout pendant 30 minutes.

DEUX Faire cuire le rôti dans un four préchauffé à 220 °C (thermostat 7) pendant 40 minutes ou jusqu'à ce qu'il soit bien cuit.

TROIS Sortir le plat du four et laisser le rôti refroidir 20 minutes dans le plat de cuisson avant de le découper en fines tranches. Arroser la viande d'un peu de sauce de cuisson, le cas échéant.

Pour 4 personnes avec 2 autres plats principaux

VALEURS NUTRITIONNELLES PAR PERSONNE 754 kJ – 181 kcal – protéines : 25,2 g – hydrates de carbone : traces – sucres : traces – graisses : 9,2 g – acides gras saturés : 2,8 g – fibres : 0 g – sodium : 62 mg.

INFO SANTÉ Le porc est très énergétique. Il apporte des vitamines B et du zinc qui contribuent au bon fonctionnement du système immunitaire.

Porc satay

Ce plat originaire du Sud-Est asiatique est idéal pour les barbecues. La sauce satay peut se préparer à l'avance et peut accommoder d'autres viandes que le porc, par exemple du poulet, du bœuf ou de l'agneau, voire des crevettes. Servir accompagné de tranches de concombre épaisses et de riz gluant *(voir page 141)*.

INGRÉDIENTS *1 cuillerée à café de curcuma en poudre* ‖ *1 cuillerée à café de coriandre en poudre* ‖ *1 cuillerée à café de cumin en poudre* ‖ *1 cuillerée à soupe de jus de citron vert* ‖ *1 cuillerée à soupe de shoyu ou de tamari* ‖ *1 cuillerée à café d'huile de sésame* ‖ *500 g de porc dans le filet, coupé en morceaux de 0,5 x 1 cm*

SAUCE SATAY *25 cl de lait de coco allégé* ‖ *50 g de beurre de cacahuètes allégé en graisses* ‖ *2 cuillerées à café de pâte de curry rouge* ‖ *½ cuillerée à café de jus de citron vert*

UN Plonger quelques brochettes en bois dans de l'eau pendant 15 à 20 minutes. **DEUX** Mélanger le curcuma, la coriandre, le cumin, le jus de citron et le shoyu et bien en imprégner la viande. Couvrir et entreposer au frais pendant au moins 1 heure. **TROIS** Dans une petite casserole, mélanger tous les ingrédients de la sauce et laisser mijoter pendant 20 minutes, en remuant de temps en temps pour empêcher la sauce d'attacher. La verser dans un bol et la laisser refroidir. **QUATRE** Embrocher 3 ou 4 morceaux de viande sur chaque brochette. **CINQ** Les déposer sur une grille placée sous un gril préchauffé à très haute température et les faire cuire 10 à 12 minutes en les retournant assez souvent pour les empêcher de brûler.

Repas léger pour 4 personnes

VALEURS NUTRITIONNELLES PAR PERSONNE 915 kJ - 278 kcal – protéines : 28,1 g – hydrates de carbone : 6,4 g – sucres : 4,5 g – graisses : 15,4 g – acides gras saturés : 6,2 g – fibres : 1,5 g – sodium : 192 mg.

INFO SANTÉ La sauce satay peut être très grasse. Le lait de coco et le beurre de cacahuètes, dans cette recette, sont allégés en graisses. Ces produits allégés contiennent 25 % de graisses en moins que les versions classiques.

Volailles

Poulet à la citronnelle et aux asperges

Ce plat est d'influence thaïlandaise et requiert beaucoup de citronnelle, de gingembre et de basilic. Les tomates permettent au plat de ne pas être trop sec et lui donnent un petit côté méditerranéen. Servir avec une salade aux crevettes et aux pamplemousses *(voir page 32)* en entrée.

INGRÉDIENTS *1 cuillerée à soupe d'huile de colza ou d'olive* ‖ *2 gousses d'ail, pressées* ‖ *2 cuillerées à soupe de citronnelle, hachée finement* ‖ *2 cuillerées à café de racine de gingembre frais, râpée* ‖ *1 oignon, coupé en rondelles* ‖ *500 g de blanc de poulet, coupé en lanières* ‖ *300 g de tomates bien mûres, coupées en morceaux* ‖ *350 g d'asperges coupées en deux dans le sens de l'épaisseur et en longueur* ‖ *1 cuillerée à soupe de shoyu ou de tamari* ‖ *½ cuillerée à café de poivre noir en grains* ‖ *une poignée de feuilles de basilic thaï, pour décorer*

UN À feu vif, faire chauffer l'huile dans une poêle antiadhésive et bien la répartir sur tout le fond de la poêle. **DEUX** Ajouter l'ail, la citronnelle, le gingembre et l'oignon et les laisser revenir environ 5 minutes. **TROIS** Incorporer le poulet et le laisser cuire pendant 5 à 7 minutes, le temps qu'il dore et cuise bien. **QUATRE** Ajouter les tomates, les asperges, le shoyu et le poivre et laisser cuire pendant 2 à 3 minutes pour que tous les ingrédients soient bien chauds. Décorer avec des feuilles de basilic.

Pour 4 personnes

VALEURS NUTRITIONNELLES PAR PERSONNE 825 kJ – 196 kcal – protéines : 30,9 g – hydrates de carbone : 7,7 g – sucres : 6,2 g – graisses : 4,8 g – acides gras saturés : 0,9 g – fibres : 2,9 g – sodium : 202 mg.

INFO SANTÉ Il vaut mieux consommer les asperges le jour où elles sont achetées, car elles perdent rapidement leur fraîcheur. L'asperge soignait un certain nombre de maladies dont les rhumatismes et les maux de dents.

Poulet chandoori
C'est en quelque sorte une version chinoise du poulet tandoori. Parfumé d'un mélange d'épices orientales, il est grillé au four. Mais il peut aussi se faire au barbecue. C'est un plat à manger avec les doigts, accompagné de bâtonnets de concombre, de rondelles de patates douces rôties et d'une sauce au mirin et au tofu *(voir page 20)* ou au piment *(voir page 21)*.

INGRÉDIENTS *4 cuisses de poulet d'environ 100 g chacune, désossées et sans peau* ‖ *1 citron, coupé en quartiers*

MARINADE *1 étoile d'anis* ‖ *1 cuillerée à café de poivre du Sichuan en grains* ‖ *1 cuillerée à café de poivre noir en grains* ‖ *1 tige de citronnelle, hachée finement* ‖ *2 gousses d'ail, écrasées* ‖ *1 cuillerée à café de gingembre frais, finement haché* ‖ *1 cuillerée à soupe de shoyu ou de tamari* ‖ *1 cuillerée à café d'huile de sésame* ‖ *1 cuillerée à café de poudre de cinq-épices*

UN Préparer la marinade. Dans un mortier, écraser grossièrement l'étoile d'anis, les grains des deux sortes de poivre, la citronnelle, l'ail et le gingembre pour en faire une pâte. Incorporer le shoyu, l'huile de sésame et la poudre de cinq-épices et bien mélanger le tout. **DEUX** Mettre les cuisses de poulet dans un saladier et les enduire de marinade. Les couvrir et les conserver au frais pendant au moins 1 heure. **TROIS** Déposer les cuisses sur une grille et les faire cuire dans un four préchauffé à 240 °C (thermostat 9) pendant environ 20 minutes.

Repas léger pour 4 personnes avec un légume d'accompagnement

VALEURS NUTRITIONNELLES PAR PERSONNE 504 kJ – 120 kcal – protéines : 21,5 g – hydrates de carbone : 0,7 g – sucres : 0,1 g – graisses : 3,7 g – acides gras saturés : 0,9 g – fibres : 0,1 g – sodium : 21 mg.

INFO SANTÉ Le poulet est, par essence, une viande peu grasse. Le fait de le faire griller plutôt que de le faire revenir dans de l'huile permet de servir un plat délicieux et léger à ceux qui surveillent leur tour de taille.

Canard à l'ananas
C'est là encore un grand classique de la cuisine chinoise qui figure sur la carte de la plupart des restaurants et traiteurs chinois. L'acidulé de l'ananas complète parfaitement la richesse du canard.

INGRÉDIENTS *2 magrets de canard de 100 g, sans peau* ║ *½ cuillerée à café d'huile de sésame* ║ *½ cuillerée à café de poivre noir fraîchement moulu* ║ *250 g de morceaux d'ananas, en conserve* ║ *2 petits morceaux de gingembre frais* ║ *1 cuillerée à soupe de shoyu ou de tamari*

POUR ÉPAISSIR *1 cuillerée à café de Maïzena délayée dans 2 cuillerées à soupe d'eau*

UN Enduire soigneusement les magrets d'huile de sésame et de poivre noir et les réserver. **DEUX** Faire chauffer à feu vif un gril. Y déposer les magrets en les faisant cuire à point, 2 à 3 minutes de chaque côté. Les retirer du gril et enlever tout excédent de graisse avec du papier absorbant. **TROIS** Préparer la sauce en versant dans une poêle les morceaux d'ananas et le jus contenu dans la boîte. Ajouter le gingembre et laisser cuire à feu moyen pendant 3 à 4 minutes. Incorporer le shoyu et porter la préparation à ébullition. Incorporer alors tout doucement la Maïzena délayée pour faire épaissir la sauce. **QUATRE** Au moment de servir, verser la sauce dans un plat de service. Émincer les magrets et disposer les tranches au-dessus de la sauce. Ce plat s'accompagne parfaitement d'un mélange de jasmin et de riz sauvage.

Pour 4 personnes avec 2 autres plats

VALEURS NUTRITIONNELLES PAR PERSONNE 1 007 kJ – 240 kcal – protéines : 23,9 g – hydrates de carbone : 14,3 g – sucres : 6,9 g – graisses : 10,1 g – acides gras saturés : 3,1 g – fibres : 0,3 g – sodium : 219 mg.

INFO SANTÉ La viande de canard est très grasse surtout si on mange aussi la peau. 100 g de canard avec la peau constituent un apport de 29 g de graisses alors que la teneur en graisses de la chair sans la peau n'est que de 10 g. La viande de canard apporte à l'organisme des vitamines B1 et B2, et contient plus de fer que le poulet.

Poulet chop suey

Littéralement « chop suey » signifie assortiment de morceaux. C'est une recette extrêmement facile à réaliser qui accompagne très bien des plats assez relevés tels que le bœuf aux tomates *(voir page 49)* et les aubergines aux senteurs de la mer *(voir page 124)*.

INGRÉDIENTS *½ cuillerée à café d'huile de colza ou d'olive ‖ 1 cuillerée à café d'huile de sésame ‖ 1 grosse échalote, très finement hachée ‖ 1 gousse d'ail, écrasée ‖ 200 g de blanc de poulet, émincé ‖ 350 g de germes de soja frais ‖ 50 g de pousses de bambou en conserve, coupées en lamelles et égouttées ‖ 100 g de tomates en conserve, égouttées et écrasées ‖ 2 cuillerées à café de shoyu ou de tamari ‖ 2 petits oignons blancs, coupés dans le sens de la longueur*

UN Dans une poêle antiadhésive, faire chauffer l'huile de colza et l'huile de sésame. Ajouter l'échalote et l'ail et faire revenir, à feu moyen, pendant 1 minute jusqu'à ce que l'échalote devienne translucide. **DEUX** À feu vif, ajouter les lamelles de poulet et les laisser cuire pendant 5 minutes. **TROIS** Ajouter alors sans tarder les germes de soja, les pousses de bambou, la purée de tomates, le shoyu et les petits oignons. Faire revenir pendant 30 secondes, le temps que les germes de soja commencent à ramollir. **QUATRE** Servir immédiatement.

Pour 4 personnes avec 2 autres plats principaux

VALEURS NUTRITIONNELLES PAR PERSONNE 481 kJ – 114 kcal – protéines : 15,5 g – hydrates de carbone : 6 g – sucres : 3,7 g – graisses : 3,4 g – acides gras saturés : 0,6 g – fibres : 2 g – sodium : 129 mg.

INFO SANTÉ Les graines de mungo germées que l'on appelle germes de soja contiennent beaucoup de vitamine C. Une portion de germes de soja apporte à l'organisme les trois quarts de la quantité nécessaire par jour pour un adulte. La germination en augmente la teneur en vitamines B et rend les protéines qu'ils contiennent plus digestes.

Foies de volaille sautés

Tout le monde n'aime pas les abats, mais l'ajout de vinaigre balsamique dans cette recette est vraiment un plus pour la sauce. L'association de cette sauce et des foies de volaille, qui fondent dans la bouche, gagnera à sa cause même les plus récalcitrants. À servir avec des haricots verts sautés *(voir page 126)* pour un dîner léger.

INGRÉDIENTS ½ *cuillerée à soupe d'huile de colza ou d'olive* ‖ *1 gousse d'ail, écrasée* ‖ *1 petit morceau de gingembre frais, pelé et grossièrement haché* ‖ *2 échalotes, émincées* ‖ *12 foies de volaille, soit environ 250 g* ‖ *25 cl de bouillon de poule* (voir page 17) ‖ *1 cuillerée à café de vinaigre balsamique* ‖ *1 cuillerée à soupe de vin de riz ou de xérès* ‖ *2 cuillerées à café de shoyu ou de tamari*

UN Dans une poêle antiadhésive ou dans un wok, faire chauffer l'huile à feu vif jusqu'à ce qu'elle grésille. Bien répartir l'huile dans le fond de la poêle puis ajouter l'ail, le gingembre et les échalotes. Les faire revenir quelques secondes. **DEUX** Ajouter les foies de volaille et les laisser cuire 1 minute de chaque côté. **TROIS** Verser alors dans la poêle le bouillon, le vinaigre, le vin de riz et le shoyu et porter à ébullition. Laisser mijoter quelques minutes pour que le bouillon réduise et épaississe.

Pour 4 personnes avec 2 autres plats principaux

VALEURS NUTRITIONNELLES PAR PERSONNE 498 kJ – 119 kcal – protéines : 17,4 g – hydrates de carbone : 1 g – sucres : 0,5 g – graisses : 5 g – acides gras saturés : 1,1 g – fibres : 0,2 g – sodium : 158 mg.

INFO SANTÉ Les abats tels que le foie contiennent une bonne quantité de fer et de vitamine B12. Cependant ils peuvent avoir un taux élevé de cholestérol et de vitamine A. Bien que la vitamine A soit nécessaire pour avoir une belle peau et pour les défenses immunitaires, il est déconseillé aux femmes enceintes ou qui cherchent à l'être de consommer des aliments qui en concentrent beaucoup, comme le foie, car cela risque d'être préjudiciable pour l'enfant à naître.

Poulet kung po

C'est un plat très courant dans le Sichuan, province la plus peuplée de Chine et région réputée pour sa cuisine relevée et épicée. Il paraît que c'était l'un des plats préférés du gouverneur du Sichuan pendant la dynastie Ching, à l'époque du dernier empereur, au début du XXe siècle, d'où le nom de « kung po » qui veut dire « dignitaire du palais ». Pour apprécier toute la saveur de la délicieuse sauce, assez épicée, servir du riz gluant *(voir page 141)* en accompagnement.

INGRÉDIENTS *1 cuillerée à soupe d'huile de colza ou d'olive* ‖ *2 ou 3 piments rouges, égrainés et émincés* ‖ *2 gousses d'ail, finement hachées* ‖ *400 g de blanc de poulet coupé en cubes de 1 cm* ‖ *1 cuillerée à café de sauce aux piments* ‖ *50 g de pousses de bambou, en conserve, coupées en lamelles et égouttées* ‖ *50 g de châtaignes d'eau, en conserve, égouttées* ‖ *1 cuillerée à soupe de vin de riz chinois ou de xérès* ‖ *10 cl de bouillon de poule (voir page 17) ou d'eau* ‖ *50 g de cacahuètes grillées, non salées* ‖ *2 petits oignons blancs, coupés en tronçons de 1 cm*

POUR ÉPAISSIR *1 cuillerée à café de Maïzena délayée dans 1 cuillerée à soupe d'eau*

UN Dans une poêle antiadhésive, faire chauffer l'huile à feu vif. Ajouter les piments et l'ail et les faire revenir quelques secondes. **DEUX** Ajouter le poulet et la sauce aux piments et les faire cuire quelques minutes puis ajouter les pousses de bambou, les châtaignes d'eau et le vin de riz. Porter le tout à ébullition. Incorporer doucement la Maïzena délayée en tournant jusqu'à ce que la sauce ait épaissi et soit devenue translucide. **TROIS** Ajouter les cacahuètes et les oignons blancs juste avant de servir.

Pour 4 personnes avec 2 autres plats principaux

VALEURS NUTRITIONNELLES PAR PERSONNE 941 kJ – 224 kcal – protéines : 27,8 g – hydrates de carbone : 5,8 g – sucres : 2 g – graisses : 9,7 g – acides gras saturés : 1,6 g – fibres : 1,1 g – sodium : 85 mg.

INFO SANTÉ Les fruits secs comme les cacahuètes sont souvent très gras et très caloriques mais une grande proportion de la graisse qu'ils contiennent se présente sous la forme de graisses mono-insaturées et poly-insaturées. Les cacahuètes sont, par ailleurs, riches en acides gras essentiels oméga-6 qui sont importants pour la croissance et le développement de l'organisme.

Poulet aux noix de cajou et aux légumes

Ce plat est l'un des plus appréciés chez les traiteurs. Cette variante peu grasse se prépare sans huile puisque le blanc de poulet est cuit dans du bouillon, ce qui le rend délicieusement moelleux. Ce plat s'accompagne très bien de riz sauté aux fruits et aux légumes *(voir page 138)*.

INGRÉDIENTS *25 cl de bouillon de poule (voir page 17)* ‖ *400 g de blanc de poulet, coupé en morceaux* ‖ *2 cuillerées à soupe de pâte de soja jaune* ‖ *200 g de carottes, coupées en rondelles* ‖ *200 g de pousses de bambou, émincées* ‖ *200 g de noix de cajou, grillées* ‖ *1 petit oignon blanc, coupé très fin*

POUR ÉPAISSIR *1 cuillerée à café de Maïzena délayée dans 2 cuillerées à soupe d'eau ou de bouillon*

UN Dans une casserole, faire chauffer le bouillon de poule. Ajouter les blancs de poulet en morceaux et, tout en remuant, porter le bouillon à ébullition. Baisser le feu et laisser cuire 5 minutes. À l'aide d'une écumoire, retirer le poulet et le réserver. **DEUX** Verser dans le bouillon la pâte de soja jaune et laisser cuire quelques minutes. Ajouter les carottes et les pousses de bambou et laisser cuire encore quelques minutes supplémentaires. **TROIS** Reverser le poulet dans la casserole, reporter la sauce à ébullition et l'épaissir avec la Maïzena délayée. **QUATRE** Incorporer les noix de cajou et l'oignon juste avant de servir.

Pour 4 personnes avec 2 autres plats principaux.

VALEURS NUTRITIONNELLES PAR PERSONNE 1 549 kJ – 371 kcal – protéines : 33,3 g – hydrates de carbone : 15,2 g – sucres : 7,6 g – graisses : 20 g – acides gras saturés : 4,1 g – fibres : 3,3 g – sodium : 268 mg.

INFO SANTÉ Les noix de cajou sont riches en vitamine E et en vitamines B. Bien que leur forte teneur en graisses les rende caloriques, les graisses qu'elles contiennent sont principalement des acides gras insaturés, bons pour la santé.

Poulet rôti aux litchis et au melon

C'est une variante de la recette créée par madame Jacky Williams, concurrente victorieuse de la Chinese Healthy Cooking Competition, parrainée conjointement par la British Heart Foundation et le Chinese National Healthy Living Centre de Londres. Ce plat se sert avec du riz gluant *(voir page 141)* et du tofu sauté aux légumes variés *(voir page 115)*.

INGRÉDIENTS *½ cuillerée à café d'huile de sésame* ‖ *2 cuillerées à café de Maïzena* ‖ *2 cuillerées à café de shoyu ou de tamari* ‖ *400 g de blanc de poulet, coupé en lanières* ‖ *1 melon d'Espagne de taille moyenne* ‖ *1 cuillerée à soupe d'huile de colza ou d'olive* ‖ *1 gousse d'ail, écrasée* ‖ *2 petits morceaux de gingembre frais* ‖ *5 cl de bouillon de poule (voir page 17)* ‖ *1 cuillerée à soupe de miel* ‖ *12 à 15 litchis frais, pelés et dénoyautés* ‖ *2 petits oignons blancs, émincés*

UN Mélanger l'huile de sésame, la Maïzena et le shoyu et bien en imprégner le poulet. Le réserver pendant 10 minutes. **DEUX** Découper le haut du melon et l'épépiner à l'aide d'une grande cuillère. Au moyen d'une cuillère à café ou d'une cuillère spéciale, le creuser en façonnant des petites boules jusqu'à ce qu'il soit complètement évidé. **TROIS** Dans une poêle antiadhésive, faire chauffer l'huile à feu vif. Ajouter l'ail et le gingembre et les faire revenir pendant 1 minute. **QUATRE** Ajouter alors le poulet mariné et le laisser cuire pendant 3 à 4 minutes, le temps qu'il dore légèrement. Verser le bouillon dans la poêle et porter à ébullition. **CINQ** Faire doucement couler le miel sur le poulet puis incorporer les litchis et les boules de melon pour qu'ils chauffent à cœur. **SIX** Parsemer les oignons puis remplir le melon évidé de la préparation.

Pour 4 personnes

VALEURS NUTRITIONNELLES PAR PERSONNE 915 kJ – 216 kcal – protéines : 25,5 g – hydrates de carbone : 19,9 g – sucres : 17,1 g – graisses : 4,5 g – acides gras saturés : 0,8 g – fibres : 1,1 g – sodium : 186 mg.

INFO SANTÉ Les melons contiennent de la vitamine C ainsi que beaucoup d'eau, ce qui fait qu'ils étanchent bien la soif. Les melons à chair orange ou rose, comme les cantaloups, sont également riches en bêta-carotène.

Poulet au citron

Dans ce plat classique, originaire de Canton, le poulet est souvent frit et servi avec une sauce au citron assez épaisse. Cette variante propose un poulet cuit à la poêle et quasiment sans sauce, tout juste subtilement parfumé par le jus de citron frais et l'huile de citron qui se dégage de la peau du citron au cours de la cuisson.

INGRÉDIENTS *1 œuf, légèrement battu* ‖ *2 gousses d'ail, émincées* ‖ *2 petits morceaux d'écorce de citron, non cirée* ‖ *500 g de blanc de poulet, sans peau, coupé en lamelles de 5 mm d'épaisseur* ‖ *2 cuillerées à soupe de Maïzena* ‖ *1 cuillerée à soupe d'huile de colza ou d'olive* ‖ *le jus de 1 citron* ‖ *1 petit oignon blanc coupé, en diagonale, en tronçons de 1,5 cm de long* ‖ *des tranches de citron, pour décorer*

UN Mélanger l'œuf, l'ail et l'écorce de citron et y laisser mariner le poulet pendant 10 à 15 minutes. **DEUX** Enlever l'écorce de citron et incorporer la Maïzena dans la préparation en veillant à la répartir de façon homogène entre les lamelles de poulet. **TROIS** Dans une poêle antiadhésive, faire chauffer l'huile à feu vif. Y déposer les lamelles de poulet en veillant à ce qu'elles ne se touchent pas les unes les autres. **QUATRE** Les faire cuire 2 minutes de chaque côté. **CINQ** À feu plus doux, les faire sauter encore 1 minute pour leur laisser le temps de dorer et de cuire. Remettre à feu plus vif et verser dans la poêle le jus de citron. Ajouter l'oignon blanc, garnir de tranches de citron et servir immédiatement.

Pour 4 personnes avec 2 autres plats principaux

VALEURS NUTRITIONNELLES PAR PERSONNE 987 kJ – 234 kcal – protéines : 32 g – hydrates de carbone : 14 g – sucres : 0,1 g – graisses : 5,8 g – acides gras saturés : 1,2 g – fibres : 0,1 g – sodium : 103 mg.

INFO SANTÉ Le citron remplace avantageusement toute utilisation de sel ou de sauce de soja. Il contient, en outre, de la vitamine C qui peut contribuer à combattre les infections en renforçant les défenses immunitaires.

Poulet au sésame et aux concombres

Cette spécialité du Sichuan s'appelle parfois « poulet pang-pang » ou « poulet bon-bon » et comporte généralement un mélange, assez ravageur pour les papilles gustatives, d'huile et de flocons de piment. Dans cette variante, la subtile adjonction de moutarde relève la recette sans trop l'épicer. Servir avec un bon bol de soupe épicée et aigre *(voir page 35)* et des petits pains à la vapeur *(voir page 137)*.

INGRÉDIENTS *400 g de blanc de poulet cuit, émietté* ‖ *350 à 400 g de concombre, coupé en rondelles*

ASSAISONNEMENT *4 petits oignons blancs, émincés* ‖ *4 cuillerées à café de pâte de sésame* ‖ *1 cuillerée à soupe de vinaigre de vin blanc* ‖ *2 cuillerées à café de moutarde anglaise ou de Savora*

UN Dans un saladier, mélanger tous les ingrédients de la sauce. Ajouter les miettes de blanc de poulet et bien mélanger. **DEUX** Pour servir, disposer les rondelles de concombre sur un grand plat de service et déposer au-dessus les miettes de blanc de poulet assaisonnées.

Repas léger pour 4 personnes

VALEURS NUTRITIONNELLES PAR PERSONNE 1 117 kJ – 268 kcal – protéines : 33,5 g – hydrates de carbone : 2,2 g – sucres : 2 g – graisses : 13,8 g – acides gras saturés : 2,8 g – fibres : 1,9 g – sodium : 195 mg.

INFO SANTÉ Les concombres contiennent beaucoup d'eau et sont très peu caloriques. Ils sont pour cette raison très appréciés dans les régimes amaigrissants. Certaines personnes ont du mal à digérer les concombres crus, mais dans les recettes chinoises ils sont cuits à la vapeur ou sautés, ce qui ramollit leur peau.

Dés de poulet

Pour ce très grand classique de la cuisine cantonaise, il faut choisir un poulet de bonne qualité – poulet fermier – car la réussite de cette recette repose essentiellement sur la texture et le goût du poulet, l'oignon blanc et la sauce au gingembre ne jouant qu'un faible rôle. Le poulet est poché tout doucement, ce qui laisse la chair délicieuse, tendre et savoureuse. Cette recette s'accompagne très bien de riz blanc nature *(voir page 140)* et de bok choy sauté aux shii-takes *(voir page 108)*. La sauce aux ananas *(voir page 21)* et la sauce aux piments *(voir page 21)* peuvent très bien remplacer la sauce au gingembre proposée ici.

INGRÉDIENTS *1 poulet de 1 kg, élevé au grand air, vidé et sans abats*

SAUCE D'ACCOMPAGNEMENT *3 petits oignons blancs, hachés finement ‖ 3 petits morceaux de gingembre frais, pelés et râpés ‖ 4 cuillerées à soupe de coriandre fraîche, hachée ‖ 4 cuillerées à soupe de shoyu ou de tamari ‖ 1 cuillerée à café d'huile de sésame ‖ 1 cuillerée à soupe de jus de citron vert ‖ 2 piments rouges, égrainés et coupés en lamelles*

UN Plonger le poulet dans une grande casserole d'eau bouillante et attendre la reprise de l'ébullition. Couvrir la casserole et mettre à tout petit feu. Laisser cuire pendant 20 minutes. Éteindre le feu et laisser le poulet pocher pendant encore 20 à 25 minutes. **DEUX** Retirer le poulet de la casserole, l'égoutter et le laisser refroidir. **TROIS** Mélanger tous les ingrédients de la sauce dans un petit bol de service. **QUATRE** Couper le poulet en morceaux de la taille d'une bouchée et le servir avec la sauce d'accompagnement.

Pour 4 à 6 personnes avec 2 autres plats principaux

VALEURS NUTRITIONNELLES PAR PERSONNE AVEC LA SAUCE: 873 kJ – 208 kcal – protéines: 32,6 g – hydrates de carbone: 1,2 g – sucres: 0,3 g – graisses: 8,1 g – acides gras saturés: 2,3 g – fibres: 0,2 g – sodium: 463 mg.

INFO SANTÉ Le poulet est une excellente source de protéines, indispensables à la régénération des tissus de l'organisme. Il est aussi assez riche en vitamines B, qui contribuent au bon fonctionnement du système nerveux. Mais la peau du poulet est très grasse, il ne faut donc pas la manger quand on surveille son poids.

Poissons
et fruits de mer

Saumon au sésame et aux légumes en julienne

Cette recette toute simple décline le sésame sous deux formes : les graines grillées qui décorent les filets ou pavés de saumon et le sel de sésame – gomasio – utilisé dans l'assaisonnement. Servir avec du riz gluant *(voir page 141)* et du tofu grillé à la sauce sichuanaise *(voir page 106)*.

INGRÉDIENTS *500 g de filets ou pavés de saumon, assez épais, avec la peau* ‖ *le jus de ½ citron vert* ‖ *1 cuillerée à soupe de sel de sésame* ‖ *1 cuillerée à soupe de graines de sésame, nature* ‖ *1 gros poireau, émincé* ‖ *2 grosses carottes, coupées en julienne* ‖ *125 g de mange-tout, coupés en deux dans la longueur*

UN Dans un plat allant au four tapissé de papier aluminium, déposer les filets ou pavés de saumon. Les arroser de jus de citron vert et les saupoudrer de sel et de graines de sésame. Les faire cuire dans un four préchauffé à 240 °C (thermostat 9) pendant 15 à 20 minutes pour que le saumon soit tout juste cuit et que les graines de sésame soient grillées et dorées. **DEUX** Pendant ce temps, mélanger le poireau, les carottes et les mange-tout et les répartir sur un plat de service. **TROIS** Pour servir, déposer les morceaux de saumon sur le lit de légumes et les arroser du jus de cuisson restant dans le plat de cuisson.

Pour 4 personnes avec 2 autres plats principaux

VALEURS NUTRITIONNELLES PAR PERSONNE 1 126 kJ – 270 kcal – protéines : 24,8 g – hydrates de carbone : 7,7 g – sucres : 6,8 g – graisses : 15,8 g – acides gras saturés : 2,7 g – fibres : 3 g – sodium : 111 mg.

INFO SANTÉ Les poissons gras tels que le saumon ou le maquereau contiennent des acides gras oméga-3 qui, selon les professionnels de la santé, contribueraient à protéger l'organisme des problèmes cardiaques ou circulatoires en améliorant la circulation sanguine.

Boulettes de poisson épicées à la sauce aigre-douce

Les boulettes de poisson sont commercialisées dans la plupart des supermarchés orientaux. Généralement elles combinent différentes sortes de fruits de mer et sont frites puis emballées sous vide. Dans cette recette, elles mijotent doucement. Ce plat peut se servir lors d'une collation impromptue, accompagné de toasts aux crevettes et aux graines de sésame *(voir page 30)* et de rouleaux de printemps frais *(voir page 26)*.

INGRÉDIENTS *1 gousse d'ail, écrasée* ‖ *2 cuillerées à café de poivre noir, en grains* ‖ *2 piments rouges frais, égrainés et coupés en lamelles* ‖ *1 cuillerée à café de ciboulette fraîche* ‖ *1 cuillerée à café de coriandre fraîche* ‖ *600 à 650 g de filets de morue ou de haddock, avec la peau et coupés en gros cubes* ‖ *1 blanc d'œuf* ‖ *1 cuillerée à soupe de Maïzena* ‖ *1 cuillerée à soupe de shoyu ou de tamari* ‖ *1 cuillerée à café d'huile de sésame* ‖ *1 grosse pincée de coriandre fraîche, hachée, pour décorer*

SAUCE AIGRE-DOUCE *15 à 20 cl de bouillon de légumes (voir page 17)* ‖ *10 cl de ketchup* ‖ *1 cuillerée à soupe de sucre roux* ‖ *1 petit morceau de gingembre frais, pelé et râpé* ‖ *½ cuillerée à café de sauce au piment*

POUR ÉPAISSIR *2 cuillerées à café de Maïzena délayées dans 3 cuillerées à soupe de vinaigre de vin de riz*

UN Dans un mixer, mélanger quelques secondes et à grande vitesse l'ail, le poivre, les piments, la ciboulette et la coriandre. Ajouter les filets de poisson et le blanc d'œuf et mélanger jusqu'à obtention d'une pâte onctueuse. Ajouter la Maïzena, le shoyu et l'huile de sésame et mélanger encore 1 minute. **DEUX** Faire chauffer une grande casserole d'eau. **TROIS** Modeler en boulettes de 3 à 4 cm de diamètre la préparation au poisson. **QUATRE** Plonger les boulettes dans l'eau bouillante, par petites quantités chaque fois, puis attendre la reprise de l'ébullition et laisser cuire environ 5 minutes. Retirer les boulettes à l'aide d'une écumoire et les réserver. **CINQ** Pour préparer la sauce aigre-douce, mélanger dans une petite casserole le bouillon, le ketchup, le sucre, le gingembre et la sauce au piment. Porter à ébullition puis incorporer la Maïzena délayée pour épaissir la sauce. Baisser le feu et laisser mijoter 1 minute. **SIX** Déposer les boulettes de poisson dans un plat de service peu profond et les parsemer de coriandre hachée. Verser la sauce dans un bol à part et la servir en accompagnement.

Pour 4 personnes

VALEURS NUTRITIONNELLES PAR PERSONNE 808 kJ – 191 kcal – protéines : 30,1 g – hydrates de carbone : 14,1 g – sucres : 4,3 g – graisses : 2,1 g – acides gras saturés : 0,3 g – fibres : 0,2 g – sodium : 212 mg.

INFO SANTÉ On peut utiliser pour cette recette un mélange de poisson gras et de poisson blanc. Notamment, pour ceux qui n'aimeraient pas les poissons gras mais qui souhaiteraient toutefois bénéficier de leurs avantages nutritionnels, c'est là une très bonne façon d'intégrer plus d'acides gras oméga-3 dans un régime alimentaire.

Crevettes à la sauce aigre-douce

Cette recette a de nombreuses variantes selon les régions. La version cantonaise allie subtilement du vinaigre, du sucre et de ketchup. La sauce est rehaussée par l'adjonction d'une grande quantité d'ananas et de poivre vert qui donne du croquant au plat.

INGRÉDIENTS *1 cuillerée à café d'huile d'olive ‖ 1 gousse d'ail, hachée ‖ 1 cuillerée à café de gingembre frais, râpé ‖ 15 cl de bouillon de légumes (voir page 17) ‖ 150 g de tomates olivettes, coupées en morceaux ‖ 1 cuillerée à soupe de ketchup ‖ 1 cuillerée à soupe de vinaigre de vin blanc ‖ 1 cuillerée à soupe de cassonade ‖ 500 g de crevettes fraîches ou surgelées, décortiquées ‖ 150 g d'ananas en conserve, en morceaux, égouttés ‖ 150 g de poivre vert, concassé ‖ 1 petit oignon blanc, émincé dans le sens de la longueur*

POUR ÉPAISSIR *1 cuillerée à café de Maïzena délayée dans 6 cuillerées à soupe d'eau ou de bouillon*

UN Dans une poêle antiadhésive, faire chauffer l'huile. Ajouter l'ail et le gingembre et les faire revenir environ 20 secondes. **DEUX** Ajouter le bouillon, les tomates, le ketchup, le vinaigre et la cassonade et porter à ébullition. **TROIS** Ajouter les crevettes. Laisser cuire environ 1 minute puis ajouter les morceaux d'ananas et le poivre vert. Porter le tout à ébullition et incorporer la Maïzena délayée pour épaissir la préparation. **QUATRE** Parsemer d'oignon émincé et servir immédiatement accompagné de riz blanc nature *(voir page 140)* ou de vermicelles aux œufs qui absorberont la délicieuse sauce aigre-douce.

Pour 4 personnes avec 2 autres plats principaux

VALEURS NUTRITIONNELLES PAR PERSONNE 742 kJ – 175 kcal – protéines : 24,6 g – hydrates de carbone : 15,4 g – sucres : 11,6 g – graisses : 2,1 g – acides gras saturés : 0,4 g – fibres : 1,3 g – sodium : 1 104 mg.

INFO SANTÉ Les fruits de mer sont en général riches en protéines, en vitamines et en minéraux et, avantage non négligeable, hypocaloriques. Les crevettes contiennent beaucoup de sélénium qui agit comme un antioxydant en débarrassant l'organisme des dommages causés par les radicaux libres. Il a été scientifiquement prouvé que le sélénium conférait une protection contre des maladies du cœur et contre certains cancers.

Grosses crevettes sautées au gingembre et aux petits oignons blancs

La cuisine cantonaise associe très souvent les petits oignons blancs et le gingembre dans les plats de poissons et de fruits de mer. Dans cette recette, l'alliance de ces deux ingrédients permet de réaliser rapidement et facilement un plat pour un dîner en semaine. Il constitue une excellente entrée, se mariant parfaitement à un plat de porc à la sauce aigre-douce *(voir page 53)*.

INGRÉDIENTS *½ cuillerée à soupe d'huile de colza* ‖ *2 gousses d'ail, écrasées* ‖ *3 ou 4 petits morceaux de gingembre frais, pelés et râpés* ‖ *400 g de grosses crevettes, crues (non décortiquées mais nettoyées)* ‖ *2 cuillerées à café de shoyu ou de tamari* ‖ *2 cuillerées à café de xérès* ‖ *½ cuillerée à café d'huile de sésame* ‖ *½ cuillerée à café de poivre noir fraîchement moulu* ‖ *4 cuillerées à soupe de bouillon de légumes (voir page 17)* ‖ *2 petits oignons blancs, découpés en bâtonnets de 1,5 cm de long, pour décorer*

POUR ÉPAISSIR *1 cuillerée à café de Maïzena délayée dans 1 cuillerée à soupe d'eau*

UN Dans une poêle antiadhésive, faire chauffer l'huile et faire revenir l'ail et le gingembre pendant quelques secondes. **DEUX** Ajouter les crevettes et les faire sauter pendant environ 1 minute pour qu'elles soient presque cuites. **TROIS** Assaisonner avec le shoyu, le xérès, l'huile de sésame et le poivre et ajouter le bouillon. Incorporer la Maïzena délayée pour épaissir la sauce. **QUATRE** Parsemer les bâtonnets d'oignon sur le dessus et servir immédiatement.

Pour 4 personnes avec 2 autres plats principaux

VALEURS NUTRITIONNELLES PAR PERSONNE 423 kJ – 101 kcal – protéines : 19 g – hydrates de carbone : 0,9 g – sucres : 0,3 g – graisses : 2,7 g – acides gras saturés : 0,4 g – fibres : 0,2 g – sodium : 274 mg.

INFO SANTÉ La cuisine orientale a une prédilection pour le gingembre. Selon la médecine chinoise traditionnelle, il améliore-rait la circulation sanguine et serait efficace pour lutter contre le mal des voyages et les nausées du matin.

Crevettes à la vapeur et à l'ail

Cette recette convient tout à fait aux crevettes de très grande taille. Et à tous les amateurs d'ail ! Comme ce plat se mange avec les doigts, autant y aller carrément et le servir avec un autre plat nécessitant lui aussi le même traitement, à savoir les moules à la pâte de soja noire et au basilic *(voir page 94)*. Le *nec plus ultra* !

INGRÉDIENTS *400 g de grosses crevettes crues, avec la carapace, sans la tête* ‖ *1 cuillerée à café d'huile d'olive* ‖ *4 ou 5 gousses d'ail, écrasées* ‖ *1 cuillerée à café de shoyu ou de tamari* ‖ *1 cuillerée à café de vin de riz chinois ou de xérès* ‖ *½ cuillerée à café de poivre noir fraîchement moulu* ‖ *1 grosse pincée de feuilles de coriandre fraîche, hachées, pour décorer*

UN À l'aide d'une paire de ciseaux, fendre sur le dos les carapaces des crevettes de la tête à la queue et les écarter pour leur donner la forme d'un papillon. Enlever la veine centrale et disposer les crevettes en cercle sur un plat supportant la chaleur. **DEUX** Verser 5 cm d'eau dans le fond d'un wok, placer au-dessus une grille en métal ou en bois et porter l'eau à ébullition. **TROIS** Mélanger l'huile d'olive avec l'ail, le shoyu, le vin de riz et le poivre noir et en arroser les crevettes. **QUATRE** Poser le plat contenant les crevettes sur la grille, couvrir et laisser cuire à la vapeur, à feu vif, pendant 3 minutes, le temps que les crevettes rosissent et cuisent. **CINQ** Au moment de servir, retirer délicatement le plat de l'intérieur du wok et parsemer les feuilles de coriandre hachées sur le dessus.

Pour 4 personnes avec 2 autres plats principaux

VALEURS NUTRITIONNELLES PAR PERSONNE 363 kJ – 86 kcal – protéines : 17,8 g – hydrates de carbone : 0,4 g – sucres : 0,1 g – graisses : 1,4 g – acides gras saturés : 0,2 g – fibres : 0,1 g – sodium : 191 mg.

INFO SANTÉ Des études scientifiques ont montré que consommer chaque jour une certaine quantité d'ail peut contribuer à abaisser la pression artérielle et le taux de cholestérol. L'ail est aussi censé avoir des propriétés antivirales et antibactériennes.

Huîtres à la pâte de soja noire

Les huîtres sont souvent frites dans une pâte à beignets : c'est là un mode de cuisson rapide qui permet de conserver prisonnière leur eau. Les huîtres frites sont certes délicieuses mais elles sont très grasses. Dans la variante donnée ci-dessous, elles sont sautées et cuisent donc rapidement. Leur saveur naturelle est, de plus, rehaussée par l'ail, les oignons blancs et la pâte de soja noire. Dans les restaurants chinois, il est courant d'associer les poissons et les fruits de mer. Ces huîtres pourront ainsi très bien être servies en même temps que des noix de Saint-Jacques pochées à la sauce au wasabi *(voir page 96)* et de la lotte sautée au céleri *(voir page 100)*.

INGRÉDIENTS *1 cuillerée à soupe d'huile de colza ou d'olive* ‖ *4 petits morceaux de gingembre frais* ‖ *2 gousses d'ail, écrasées* ‖ *2 cuillerées à soupe de pâte de soja noire* ‖ *24 huîtres, écaillées* ‖ *4 petits oignons blancs, coupés en tranches dans la diagonale* ‖ *1 cuillerée à soupe de vin de riz chinois ou de xérès* ‖ *½ cuillerée à café d'huile de sésame*

UN Faire chauffer l'huile à feu vif dans une poêle antiadhésive ou dans un wok. Ajouter le gingembre et l'ail et les faire revenir pendant quelques secondes jusqu'à ce qu'ils dorent légèrement. **DEUX** Verser la pâte de soja puis ajouter les huîtres. Couvrir la poêle et faire cuire les huîtres à feu vif pendant 30 secondes. **TROIS** Retirer le couvercle et ajouter les oignons, le vin de riz et l'huile de sésame. Mélanger et servir immédiatement.

Pour 4 personnes

VALEURS NUTRITIONNELLES PAR PERSONNE 352 kJ – 84 kcal – protéines : 7,4 g – hydrates de carbone : 3,5 g – sucres : 1,3 g – graisses : 4,1 g – acides gras saturés : 0,6 g – fibres : 0,5 g – sodium : 496 mg.

INFO SANTÉ Les huîtres ont longtemps été utilisées comme aphrodisiaques. Bien que les bases scientifiques de cette affirmation restent floues, il n'en reste pas moins vrai qu'elles sont riches en zinc, élément nécessaire à la production de sperme et à la libido.

Panaché de fruits de mer aux vermicelles chinois

Les vermicelles chinois à base d'amidon sont plus légers que les vermicelles de riz et sont d'une texture plus ferme et plus robuste. Ils peuvent absorber quantité de liquides et de saveurs. Ce plat s'allie très bien avec les maquereaux rôtis au citron *(voir page 99)* et du riz vapeur.

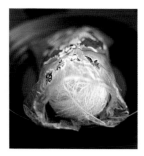

INGRÉDIENTS *1 cuillerée à soupe d'huile de colza ou d'olive* ‖ *2 gousses d'ail, hachées* ‖ *1 cuillerée à soupe de sauce au piment* ‖ *2 cuillerées à café de shoyu ou de tamari* ‖ *1 cuillerée à café de poivre blanc fraîchement moulu* ‖ *2 l de bouillon de poissons (voir page 19) ou de bouillon de légumes (voir page 17)* ‖ *200 g de feuilles de bette, découpées en lanières de 2,5 cm de large* ‖ *150 à 200 g de vermicelles chinois* ‖ *entre 100 et 150 g de crevettes crues ; de coquilles Saint-Jacques ; de calamars* ‖ *1 pincée de feuilles de coriandre fraîche, pour décorer*

UN Bien chauffer l'huile, à feu vif, dans une poêle antiadhésive ou dans un wok. Ajouter l'ail et le gingembre et les faire revenir pendant quelques secondes jusqu'à ce qu'ils embaument. **DEUX** Ajouter la sauce au piment, le shoyu, le poivre et le bouillon et porter le tout à ébullition. Ajouter les bettes, mettre à feu moyen et laisser mijoter 10 minutes. **TROIS** Ajouter les vermicelles, couvrir la poêle et laisser encore mijoter pendant 5 minutes. **QUATRE** Ajouter les fruits de mer, remuer et reporter à ébullition. Laisser mijoter 1 minute supplémentaire. Servir dans un plat creux et décorer de feuilles de coriandre.

Pour 4 à 6 personnes avec 2 autres plats principaux

VALEURS NUTRITIONNELLES PAR PERSONNE 1 116 kJ – 267 kcal – protéines : 21,3 g – hydrates de carbone : 36,7 g – sucres : 1,9 g – graisses : 3,7 g – acides gras saturés : 0,5 g – fibres : 0,8 g – sodium : 315 mg.

INFO SANTÉ Les vermicelles chinois sont fabriqués à partir de haricots mungos et servent plus souvent de légumes que d'aliments glucidiques, comme c'est le cas pour les nouilles de riz ou au blé noir.

Crabe aux asperges

Le goût du crabe est parfois écrasé par une sauce trop riche ou trop épicée. Ce n'est pas le cas de la sauce légère proposée dans cette recette. L'alliance du crabe et de l'asperge se concrétise à chaque bouchée par un mélange de douceur et de croquant. Ce plat s'accompagne très bien de fu yung aux légumes *(voir page 119)*.

INGRÉDIENTS *1 cuillerée à soupe d'huile de colza ou d'olive* ‖ *1 petit morceau de gingembre frais* ‖ *1 gousse d'ail, écrasée* ‖ *1 cuillerée à soupe de vin de riz chinois ou de xérès* ‖ *10 cl de bouillon de légumes (voir page 17)* ‖ *600 à 650 g d'asperges, épluchées et coupées en tronçons de 3 cm* ‖ *250 g de chair de crabe cuit* ‖ *1 cuillerée à café de shoyu ou de tamari* ‖ *2 petits oignons blancs, finement émincés, pour décorer*

POUR ÉPAISSIR *1 cuillerée à café de Maïzena délayée dans 5 cuillerées à soupe de bouillon de légumes (voir page 17) ou d'eau*

UN Dans une poêle antiadhésive, faire chauffer l'huile à feu vif. Ajouter le gingembre et l'ail et les faire revenir quelques secondes. **DEUX** Verser dans la poêle le vin et le bouillon et porter le tout à ébullition. Ajouter les asperges et les laisser cuire à feu vif pendant 2 à 3 minutes. À l'aide d'une écumoire, les retirer de la poêle et les déposer sur un plat de service. **TROIS** Mettre dans la poêle la chair de crabe et le shoyu. Porter le mélange à ébullition et incorporer doucement la Maïzena délayée en tournant jusqu'à ce que la sauce épaississe. **QUATRE** Avant de servir, verser la préparation au crabe au-dessus des asperges et parsemer de lamelles d'oignon.

Pour 4 personnes avec 2 autres plats principaux

VALEURS NUTRITIONNELLES PAR PERSONNE 642 kJ – 154 kcal – protéines : 16,8 g – hydrates de carbone : 5,8 g – sucres : 3 g – graisses : 7,1 g – acides gras saturés : 1 g – fibres : 2,7 g – sodium : 308 mg.

INFO SANTÉ Les asperges contiennent une grande quantité d'acide folique, une vitamine B. Pour un adulte, 100 g d'asperges couvrent aux trois quarts ses besoins quotidiens en acide folique. L'acide folique contribue au bon état du sang et, en cas de grossesse, il permet de réduire les risques de troubles neurologiques chez l'enfant.

Crevettes aux tomates et à la mangue

La cuisine cantonaise est particulièrement friande de crevettes fraîches. La combinaison des tomates et des crevettes est assez classique mais la recette donnée ci-dessous ajoute aux ingrédients une mangue, ce qui donne à l'ensemble une touche exotique tropicale. Ce plat aux senteurs très marquées doit être servi avec un autre plat de fruits de mer tout aussi aromatisé, tel que les huîtres à la pâte de soja noire *(voir page 85)*.

INGRÉDIENTS *1 cuillerée à soupe d'huile de colza ou d'olive ‖ 2 gousses d'ail, écrasées ‖ 2 petits morceaux de gingembre frais, pelés et râpés ‖ 1 cuillerée à café d'huile de piment ‖ 2 cuillerées à soupe de ketchup ‖ 400 g de crevettes crues, décortiquées ‖ 4 tomates, coupées en morceaux ‖ 1 grosse mangue, épluchée et coupée en dés ‖ 2 petits oignons blancs, émincés*

UN Dans une poêle antiadhésive, faire chauffer l'huile à feu vif. Bien répartir l'huile sur tout le fond de la poêle et faire revenir l'ail et le gingembre pendant quelques minutes à feu entre moyen et vif, jusqu'à ce que l'ail dore légèrement. **DEUX** Ajouter l'huile de piment et le ketchup et faire chauffer pendant 2 à 3 minutes. **TROIS** Ajouter les crevettes et les faire revenir pendant 3 à 4 minutes, le temps qu'elles rosissent. Incorporer alors les tomates et la mangue et laisser le tout chauffer. **QUATRE** Parsemer d'oignons émincés avant de servir.

Pour 4 personnes avec 2 autres plats principaux

VALEURS NUTRITIONNELLES PAR PERSONNE 627 kJ – 148 kcal – protéines : 18,9 g – hydrates de carbone : 10,6 g – sucres : 10,1 g – graisses : 3,8 g – acides gras saturés : 0,6 g – fibres : 2 g – sodium : 328 mg.

INFO SANTÉ Les mangues sont très riches en vitamine C, en caroténoïdes, en fibres et en potassium. Certaines études attestent de leur effet bénéfique sur la santé ; de plus elles contribuent à accroître les défenses immunitaires.

Calamars frits et mange-tout

La nuance sucrée qui caractérise très nettement les calamars est encore accentuée dans cette recette qui leur associe des mange-tout frais et bien croquants. L'assaisonnement doit rester léger. Le poivre du Sichuan ajoute une touche subtile mais clairement acidulée. Ce plat se sert très bien parallèlement à du poulet sauté et des haricots verts sautés.

INGRÉDIENTS *250 g de calamars, nettoyés* ‖ *1 cuillerée à soupe d'huile de colza ou d'olive* ‖ *1 piment vert, haché* ‖ *2 cuillerées à café de poivre du Sichuan, concassé* ‖ *2 gousses d'ail, écrasées* ‖ *1 petit oignon, haché* ‖ *250 g de mange-tout* ‖ *2 cuillerées à café de shoyu ou de tamari* ‖ *1 cuillerée à café de vin de riz chinois ou de xérès*

UN Découper les calamars en lamelles dans le sens de la longueur et les scarifier en croisillon à l'aide d'un couteau (ainsi ils se recroquevilleront au cours de la cuisson et la sauce sera retenue dans les cannelures). **DEUX** Dans une poêle antiadhésive, faire chauffer l'huile à feu vif. Ajouter le piment, le poivre, l'ail et l'oignon et les faire revenir à feu moyen pendant 3 à 4 minutes. **TROIS** Puis, à feu vif, faire sauter les calamars pendant 1 minute. Les réserver. **QUATRE** Mettre les mange-tout dans la poêle et les faire sauter pendant 1 minute puis ajouter les calamars. Bien mélanger. Incorporer le shoyu et le vin de riz et faire revenir encore quelques secondes avant de servir aussitôt.

Pour 2 personnes avec un autre plat principal

VALEURS NUTRITIONNELLES PAR PERSONNE 450 kJ – 107 kcal – protéines : 12,3 g – hydrates de carbone : 4,8 g – sucres : 3 g – graisses : 4 g – acides gras saturés : 0,6 g – fibres : 1,7 g – sodium : 154 mg.

INFO SANTÉ Les calamars contiennent du sélénium qui est bon pour les cheveux et la peau. Des recherches scientifiques ont, par ailleurs, montré que le sélénium conférait une protection contre le cancer de la prostate.

Filets de daurade à la sauce orientale

La daurade est un poisson très apprécié dans les pays orientaux pour sa chair ferme et son goût délicat. Il peut être soit cuit à la vapeur ou, entier, au four, soit comme dans cette recette, en filets, ce qui est plus pratique. La cuisson à la poêle rend la peau croustillante et parfumée et la délicatesse de la chair se trouve rehaussée par le subtil parfum de l'assaisonnement. Ce plat s'accompagne très bien de riz sauté aux fruits et aux légumes *(voir page 138)* et de haricots verts sautés à sec *(voir page 126)*.

INGRÉDIENTS *1 cuillerée à soupe d'huile de colza ou d'olive* ‖ *4 filets de daurade, rose ou grise, de 150 à 200 g chacun* ‖ *4 gousses d'ail, écrasées* ‖ *le jus de 1 citron* ‖ *1 pincée de feuilles de basilic thaï, hachées, pour décorer*

SAUCE D'ACCOMPAGNEMENT *1 cuillerée à soupe de sauce au citron et au poisson (voir page 19)* ‖ *3 cuillerées à soupe de bouillon de poissons (voir page 19)*

UN Dans une poêle antiadhésive, faire chauffer l'huile à feu vif jusqu'à ce qu'elle grésille. **DEUX** Y déposer les filets, peaux en dessous et les faire revenir pendant 2 minutes. Les retourner et déposer l'ail entre les filets. Laisser cuire encore 1 minute puis ajouter le jus de citron et laisser cuire jusqu'à presque complète évaporation. Transférer les filets dans un plat de service. **TROIS** Préparer la sauce en mélangeant la sauce au citron et au poisson et le bouillon de poissons. En arroser les filets et les décorer avec des feuilles de basilic thaï.

Pour 4 personnes avec 2 autres plats principaux

VALEURS NUTRITIONNELLES PAR PERSONNE 836 kJ – 199 kcal – protéines : 30,9 g – hydrates de carbone : 1,3 g – sucres : 1 g – graisses : 7,9 g – acides gras saturés : 0,4 g – fibres : 0 g – sodium : 330 mg.

INFO SANTÉ La daurade est un poisson blanc pauvre en graisses et riche en protéines et vitamine B12. Il est idéal pour ceux qui surveillent leur poids.

Truite à la vapeur aux haricots noirs

Les haricots noirs fermentés, si tant est qu'on en trouve, rehaussent formidablement bien le goût de la truite. Mais une cuillerée à soupe de pâte de soja noire fait tout aussi bien l'affaire. Ce plat s'accompagne très bien de pousses de bambou et de champignons de paille aux brocolis *(voir page 123)*.

INGRÉDIENTS *1 cuillerée à café de haricots noirs fermentés* ‖ *2 petits morceaux de gingembre frais, pelés et râpés* ‖ *2 gousses d'ail, finement hachées* ‖ *2 petits oignons blancs, émincés* ‖ *1 cuillerée à café de shoyu ou de tamari* ‖ *1 cuillerée à café d'huile d'olive* ‖ *350 à 400 g de filets de truite, coupés en morceaux* ‖ *1 grosse pincée de feuilles de coriandre fraîche, hachées, pour décorer*

UN Verser environ 5 cm d'eau dans un wok. Placer au-dessus une grille en métal ou en bois et porter l'eau à ébullition. **DEUX** Pendant ce temps, passer les haricots noirs à l'eau pour les débarrasser d'un excédent de sel. Les mettre dans un petit saladier et les écraser légèrement à la fourchette. Incorporer le gingembre, l'ail, les petits oignons, le shoyu et l'huile d'olive. **TROIS** Déposer les morceaux de poisson dans un plat de service résistant à la chaleur et les napper soigneusement de la préparation aux haricots noirs. **QUATRE** Placer le plat sur la grille dans le wok. Couvrir et laisser cuire à la vapeur à feu vif pendant 6 à 8 minutes pour que le poisson cuise. Parsemer de coriandre hachée et servir immédiatement.

Pour 4 personnes avec 2 autres plats principaux

VALEURS NUTRITIONNELLES PAR PERSONNE 547 kJ – 130 kcal – protéines : 18,2 g – hydrates de carbone : 2,1 g – sucres : 1,2 g – graisses : 5,5 g – acides gras saturés : 1,1 g – fibres : 0,3 g – sodium : 271 mg.

INFO SANTÉ La truite est un poisson gras riche en acides gras oméga-3. Des recherches scientifiques ont fait apparaître que les poissons gras pouvaient contribuer à atténuer certains symptômes du psoriasis.

Moules à la pâte de soja noire et au basilic
Voici une variante orientale des moules marinières. Ce plat odorant et relevé est idéal pour une froide soirée d'hiver. Il peut aussi être servi pour un déjeuner léger, accompagné de nouilles de riz aux crevettes aromatiques *(voir page 134)*.

INGRÉDIENTS *1 cuillerée à soupe d'huile de colza ou d'olive* ‖ *½ cuillerée à café de poivre noir fraîchement moulu* ‖ *2 piments rouges, égrainés et coupés en lamelles* ‖ *2 gousses d'ail, écrasées* ‖ *1 kg de moules, grattées et lavées* ‖ *6 cl de bouillon de poissons (voir page 19)* ‖ *1 cuillerée à soupe de pâte de soja noire* ‖ *1 cuillerée à soupe de vin de riz chinois ou de xérès* ‖ *1 grosse pincée de feuilles de coriandre fraîche* ‖ *1 grosse poignée de feuilles de basilic thaï, frais*

UN Faire chauffer l'huile à feu vif dans un wok. Ajouter le poivre, les piments et l'ail et les faire revenir pendant 30 secondes jusqu'à ce qu'ils embaument. **DEUX** Ajouter les moules et mélanger le tout, puis verser le bouillon, la pâte de soja noire et le vin de riz. Couvrir le wok et laisser cuire pendant environ 2 minutes pour que les moules s'ouvrent. **TROIS** Incorporer les feuilles de coriandre et de basilic puis transférer les moules dans un plat de service en enlevant toutes celles qui ne se sont pas ouvertes. Servir immédiatement.

Pour 4 à 6 personnes avec 2 autres plats principaux

VALEURS NUTRITIONNELLES PAR PERSONNE 927 kJ – 221 kcal – protéines : 30,8 g – hydrates de carbone : 7,2 g – sucres : 0,5 g – graisses : 7,4 g – acides gras saturés : 1,4 g – fibres : 0,1 g – sodium : 821 mg.

INFO SANTÉ Les moules contiennent beaucoup d'iode et de fer. C'est dans les fruits de mer qu'on trouve le plus d'iode, nécessaire à la constitution des hormones thyroïdiennes qui, à leur tour, déterminent le taux d'énergie dépensé par l'organisme.

Noix de Saint-Jacques pochées à la sauce au wasabi

Les coquilles Saint-Jacques fraîches occupent une place toute particulière dans la cuisine cantonaise. La recette donnée ci-dessous convient idéalement aux grandes pèlerines, les noix de Saint-Jacques géantes. Pochées dans un bouillon, elles cuisent doucement et conservent toute leur saveur. La pâte wasabi est une sorte de moutarde japonaise, une sauce au raifort japonais, si forte qu'on la surnomme « namida », c'est-à-dire « larmes », dans les bars à sushis traditionnels. Alors prudence ! Ce plat accompagné de légumes chop suey *(voir page 122)* constitue un très bon repas léger et rapide à préparer.

INGRÉDIENTS *entre 1 et 1,5 l de bouillon de poissons (voir page 19)* ‖ *16 noix de Saint-Jacques géantes (grandes pèlerines), sans leurs coquilles*

SAUCE D'ACCOMPAGNEMENT *1 cuillerée à café de wasabi (raifort japonais)* ‖ *5 cl de bouillon de poissons* ‖ *2 cuillerées à café de shoyu ou de tamari* ‖ *½ cuillerée à soupe d'huile d'olive extra-vierge*

UN Dans une casserole, porter le bouillon jusqu'à ébullition. Ajouter les noix de Saint-Jacques et couvrir la casserole. La mettre de côté et y pocher les noix de Saint-Jacques pendant 2 à 3 minutes en fonction de leur épaisseur. À l'aide d'une écumoire, transférer les noix de Saint-Jacques dans un plat de service. **DEUX** Préparer la sauce en mélangeant le wasabi, le bouillon, le shoyu et l'huile. En arroser les noix de Saint-Jacques.

Pour 4 personnes avec 2 autres plats principaux

VALEURS NUTRITIONNELLES PAR PERSONNE 423 kJ – 100 kcal – protéines : 16,5 g – hydrates de carbone : 3,2 g – sucres : 0 g – graisses : 2,5 g – acides gras saturés : 0,5 g – fibres : 0 g – sodium : 210 mg.

INFO SANTÉ Les noix de Saint-Jacques sont riches en potassium, qui contribue à maintenir l'équilibre hydrique de l'organisme. Il est cependant déconseillé aux personnes souffrant de problèmes rénaux d'en consommer trop.

Bar à la vapeur aux petits oignons et au gingembre

Traditionnellement, les Chinois préfèrent les poissons entiers aux filets. Mais cette recette est plus facile à manger telle quelle et ainsi les arêtes ne risquent pas de poser de problèmes. Le bar peut très bien être remplacé par, notamment, du turbot ou du flétan. En Chine, il est fréquent d'associer des plats de poissons raffinés à d'autres plats aux subtiles senteurs. On peut ainsi servir parallèlement à cette recette de bar des dés de poulet *(voir page 75)* et des légumes sautés, ce qui offrira un repas pauvre en graisses.

INGRÉDIENTS *4 filets de bar de 150 à 200 g chacun ‖ 1 cuillerée à soupe d'huile de colza ‖ 4 petits oignons blancs, finement hachés ‖ 4 petits morceaux de gingembre frais, pelés et râpés ‖ 2 cuillerées à soupe de bouillon de poissons (voir page 19) ‖ 2 cuillerées à café de shoyu ou de tamari ‖ 2 cuillerées à café de vin de riz chinois ou de xérès*

UN Remplir d'eau à mi-hauteur un wok. Placer au-dessus de l'eau une grille en métal ou en bois et porter à ébullition à feu vif. **DEUX** Pendant ce temps, déposer les filets de bar dans un plat creux et le poser sur la grille dès que l'eau bout. Couvrir le wok et cuire le bar à la vapeur, à feu vif, pendant 7 à 8 minutes. **TROIS** Pour préparer la sauce, faire chauffer l'huile dans une petite casserole à feu moyen. Ajouter les oignons et le gingembre et les faire sauter pendant quelques secondes. Verser alors le bouillon, le shoyu et le vin de riz. Remuer et laisser cuire quelques secondes supplémentaires. Retirer la casserole du feu. **QUATRE** Retirer les filets du wok et les napper de la sauce chaude. Servir immédiatement.

Pour 4 personnes avec 2 autres plats principaux

VALEURS NUTRITIONNELLES PAR PERSONNE 874 kJ – 208 kcal – protéines : 34,2 g – hydrates de carbone : 0,9 g – sucres : 0,4 g – graisses : 7,2 g – acides gras saturés : 0,9 g – fibres : 0,2 g – sodium : 205 mg.

INFO SANTÉ Cuire à la vapeur est un mode de cuisson pratique et délicieux qui ne nécessite pas d'ajouter de corps gras. Les aliments cuisent doucement et de façon homogène car la chaleur ne dépasse pas le point d'ébullition.

Maquereaux rôtis au citron

Les maquereaux appartiennent à la famille des thons et quand ils sont frais leur peau a des reflets métalliques bleu-gris. Il faut pour cette recette des filets assez larges. Le mode de cuisson proposé ici libère chez les maquereaux frais quantité d'huiles aromatiques qui répondent parfaitement à l'acidité du jus de citron.

INGRÉDIENTS *2 gousses d'ail, écrasées ‖ 2 petits morceaux de gingembre frais, pelés et râpés ‖ ½ cuillerée à café de poivre noir fraîchement moulu ‖ ½ cuillerée à soupe d'huile d'olive ‖ le jus de 1 citron ‖ 1 cuillerée à café de shoyu ou de tamari ‖ 2 filets de maquereau de 200 à 250 g chacun ‖ 2 petits oignons blancs, finement hachés*

UN Dans un bol, mélanger l'ail, le gingembre, le poivre, l'huile d'olive, le jus d'un demi-citron et le shoyu. **DEUX** Déposer les filets de maquereau dans un plat à rôtir tapissé de papier aluminium, la peau en dessous, et les arroser de la marinade. Mettre le plat dans le four préchauffé à 240 °C (thermostat 9) et laisser cuire les poissons environ 15 minutes, jusqu'à ce qu'ils soient croustillants et dorés. **TROIS** Transférer les filets sur un plat de service, les arroser du jus du demi-citron restant et les parsemer d'oignons hachés. Servir immédiatement en les accompagnant de riz ou de nouilles de riz nature qui absorberont la sauce au citron et à l'ail.

Pour 4 personnes avec 2 autres plats principaux

VALEURS NUTRITIONNELLES PAR PERSONNE 1 356 kJ – 321 kcal – protéines : 26,1 g – hydrates de carbone : 0,9 g – sucres : 0,4 g – graisses : 23,7 g – acides gras saturés : 4,8 g – fibres : 0,2 g – sodium : 129 mg.

INFO SANTÉ Les maquereaux sont des poissons gras riches en oméga-3. Des recherches scientifiques ont montré que les poissons gras avaient des effets anti-inflammatoires sur l'organisme. Certaines personnes sujettes aux migraines ont trouvé que le fait de manger plus de poissons gras leur était bénéfique à long terme.

Lotte sautée au céleri

La lotte a une chair ferme et quasiment pas de petites arêtes, ce qui en fait un poisson idéal à sauter ou à braiser. L'alliance des sucs dégagés par le poisson au cours de la cuisson et du goût spécifique du céleri produit un résultat tout à fait unique. Servir avec un rôti de porc *(voir page 56)*, des légumes sautés et un plat de tofu pour une réunion de famille.

INGRÉDIENTS *1 cuillerée à soupe d'huile de colza ou d'olive* ‖ *3 petits morceaux de gingembre frais* ‖ *500 g de filets de lotte, découpés en tranches de 1 cm d'épaisseur* ‖ *10 cl de bouillon de poissons (voir page 19)* ‖ *1 cuillerée à café de shoyu ou de tamari* ‖ *1 cuillerée à soupe de vin de riz chinois ou de xérès* ‖ *1 cuillerée à café de poivre blanc* ‖ *½ cuillerée à café d'huile de sésame* ‖ *500 g de cœur de céleri, coupés en tronçons de 2,5 cm*

POUR ÉPAISSIR *2 cuillerées à café de Maïzena délayées dans 2 cuillerées à soupe d'eau ou de bouillon*

UN Dans une poêle antiadhésive, faire chauffer l'huile à feu vif. Ajouter le gingembre et le faire revenir pendant quelques secondes pour qu'il embaume. **DEUX** Ajouter le poisson et le faire sauter pendant 1 minute puis ajouter le bouillon et porter le tout à ébullition. Ajouter le shoyu, le vin de riz, le poivre et l'huile de sésame et remuer le tout. **TROIS** Ajouter le céleri et le porter à ébullition puis incorporer la Maïzena délayée en tournant jusqu'à ce que la sauce épaississe et devienne translucide.

Pour 4 personnes avec 2 autres plats principaux

VALEURS NUTRITIONNELLES PAR PERSONNE 552 kJ – 130 kcal – protéines : 18,4 g – hydrates de carbone : 5 g – sucres : 1,2 g – graisses : 3,9 g – acides gras saturés : 0,6 g – fibres : 1,3 g – sodium : 132 mg.

INFO SANTÉ Le céleri contient des acides phénoliques qui se sont avérés avoir des effets protecteurs contre le cancer. Ils peuvent, en effet, bloquer l'action d'hormones, les prostaglandines, qui favorisent le développement des tumeurs.

Légumes

Curry thaï rouge au tofu et aux légumes variés

Il y a trois sortes de curry thaï – le rouge, le vert et le jaune – chacun étant préparé avec des piments de couleur différente. Traditionnellement, le curry thaï est fait avec du lait de coco qui est très gras. Cette variante est allégée en graisses, ce qui n'altère en rien le résultat délicieusement crémeux. Pour rester dans le thème de la cuisine du Sud-Est asiatique, servir comme hors-d'œuvre des rouleaux de printemps frais *(voir page 26)* ou une salade de crevettes et de pamplemousses *(voir page 32)*.

INGRÉDIENTS *1 cuillerée à soupe d'huile de colza ou d'olive* ‖ *2 cuillerées à soupe de pâte de curry rouge* ‖ *1 ou 2 piments verts frais, égrainés et émincés* ‖ *20 cl lait de coco allégé, en conserve* ‖ *25 cl de bouillon de légumes (voir page 17)* ‖ *1 grosse aubergine, coupée en dés* ‖ *12 mini-épis de maïs doux* ‖ *100 g de mange-tout* ‖ *100 g de carottes, en bâtonnets* ‖ *125 g de shii-takes (champignons) frais, coupés en deux* ‖ *1 gros poivron vert, pelé, égrainé et émincé* ‖ *150 g de pousses de bambou, émincées et égouttées* ‖ *1 cuillerée à soupe de sauce au poisson thaï* ‖ *1 cuillerée à soupe de miel liquide* ‖ *2 feuilles de limettier* ‖ *1 paquet de 400 g de tofu ferme, coupé en cubes de 5 cm de côté*

POUR DÉCORER *1 grosse poignée de feuilles de basilic thaï, hachées* ‖ *poignée de noix de cajou grillées*

UN Dans une grande casserole, faire chauffer l'huile et y faire revenir la pâte de curry rouge et les piments, pendant 1 minute. Incorporer alors 2 cuillerées à soupe de lait de coco (les prendre dans la couche épaisse du dessus de la boîte) et faire cuire sans cesser de remuer, pendant 2 minutes. **DEUX** Ajouter le bouillon de légumes et porter le tout à ébullition. Incorporer l'aubergine et porter à nouveau la préparation à ébullition. Laisser mijoter pendant environ 5 minutes. Ajouter les légumes restants et laisser cuire encore pendant 5 à 10 minutes. Incorporer, tout en remuant, la sauce au poisson, le miel, les feuilles de limettier et le lait de coco restant et laisser mijoter pendant encore 5 minutes en remuant de temps en temps. Ajouter les cubes de tofu et bien mélanger. **TROIS** Parsemer sur le dessus les feuilles de basilic thaï hachées et les noix de cajou et servir avec du riz au jasmin ou du riz gluant *(voir page 141)* qui accompagneront parfaitement ce curry dont ils pourront absorber la sauce si merveilleusement parfumée.

Pour 4 personnes avec 2 autres plats principaux

VALEURS NUTRITIONNELLES PAR PERSONNE 862 kJ – 254 kcal – protéines : 13,3 g – hydrates de carbone : 13,8 g – sucres : 11 g – graisses : 16,3 g – acides gras saturés : 5,7 g – fibres : 4,8 g – sodium : 482 mg.

INFO SANTÉ Les champignons sont riches en potassium qui permet de maintenir l'équilibre hydrique dans l'organisme. Ils sont hypocaloriques à condition de ne pas être cuits dans de l'huile. Selon la médecine traditionnelle chinoise, les shii-takes assureraient santé et longévité.

Tofu grillé à la sauce sichuanaise

Les enfants trouvent parfois le tofu un peu fade, mais quand il est incorporé dans une sauce colorée et parfumée, ils ne boudent pas leur plaisir. Cette recette est d'inspiration mexicaine : la sauce n'est pas sans rappeler la salsa et les cubes de tofu croquants les tortillas (chips). Pour un repas à dominante épicée, servir une soupe épicée et aigre *(voir page 35)* comme hors-d'œuvre avant ce plat.

INGRÉDIENTS *1 ½ cuillerée à soupe d'huile d'olive* ‖ *1 paquet de 400 g de tofu ferme, coupé en cubes de 2,5 cm de côté*

SAUCE SICHUANAISE *250 g de tomates fraîches, en dés* ‖ *100 g de concombre, en dés* ‖ *1 piment rouge, égrainé et émincé* ‖ *2 cuillerées à soupe d'oignons blancs, émincés* ‖ *½ gousse d'ail, écrasée* ‖ *½ cuillerée à café de sucre roux* ‖ *1 cuillerée à soupe de jus de citron vert* ‖ *2 grosses pincées de coriandre fraîche, hachée* ‖ *½ cuillerée à café de poivre noir fraîchement moulu*

UN Tapisser un plat allant au four d'une feuille de papier aluminium et l'enduire d'huile, au pinceau. Répartir uniformément au-dessus les cubes de tofu. **DEUX** Dans un four préchauffé à 240 °C (thermostat 9), enfourner le plat sur une grille en position haute et laisser rôtir pendant 15 à 20 minutes pour que le tofu devienne craquant et doré. **TROIS** Pendant ce temps, préparer la sauce sichuanaise. Dans un saladier, mélanger tous les ingrédients et laisser reposer. **QUATRE** Répartir les cubes de tofu grillés dans un plat de service et les napper de la sauce.

Pour 4 personnes

VALEURS NUTRITIONNELLES PAR PERSONNE 536 kJ – 129 kcal – protéines : 9 g – hydrates de carbone : 3,9 g – sucres : 3,4 g – graisses : 8,7 g – acides gras saturés : 1,2 g – fibres : 0,9 g – sodium : 12 mg.

INFO SANTÉ On peut réduire encore la quantité d'huile utilisée en se limitant à une dose d'un spray hypocalorique et en recourant à une poêle antiadhésive pour faire sauter les cubes de tofu. On réalise ainsi une délicieuse collation très peu grasse.

Chou sauté

On emploie très peu de chou chinois dans la cuisine orientale. Les choux précoces sont les seuls membres de la famille des choux à être souvent utilisés car ils y sont râpés et frits pour donner des « algues » croquantes. Cette recette toute simple est vraiment délicieuse et goûteuse. Le côté croquant du chou sauté s'harmonise très bien avec une viande rôtie ou grillée comme le poulet chandoori *(voir page 62)* et le porc satay *(voir page 57)*.

INGRÉDIENTS *½ cuillerée à soupe d'huile de colza* ‖ *2 gousses d'ail, écrasées* ‖ *500 g de chou chinois, finement râpé* ‖ *10 cl de bouillon de légumes (voir page 17)* ‖ *2 cuillerées à café de shoyu ou de tamari* ‖ *½ cuillerées à café de poivre noir fraîchement moulu*

UN Dans une poêle antiadhésive, faire chauffer l'huile, à feu vif, jusqu'à ce qu'elle grésille. **DEUX** Ajouter l'ail et le faire sauter quelques secondes pour qu'il dore. Ajouter le chou, mélanger puis verser le bouillon et le shoyu. Couvrir la poêle et laisser cuire quelques minutes. **TROIS** Retirer le couvercle et continuer la cuisson jusqu'à évaporation complète du bouillon, en remuant de temps en temps. **QUATRE** Poivrer et servir immédiatement.

Pour 4 personnes avec 2 autres plats principaux

VALEURS NUTRITIONNELLES PAR PERSONNE 203 kJ – 49 kcal – protéines : 2,4 g – hydrates de carbone : 5,6 g – sucres : 5 g – graisses : 2 g – acides gras saturés : 0,3 g – fibres : 3,1 g – sodium : 90 mg.

INFO SANTÉ Qu'il soit mangé cru ou légèrement cuit, le chou apporte toujours beaucoup de vitamine C. De nombreuses études scientifiques ont montré que le chou contenait des substances chimiques végétales conférant à l'organisme une protection contre certains cancers, comme celui du colon, du sein ou de l'ovaire.

Bok choy sauté aux shii-takes

Ce plat accompagne très bien un grand nombre des recettes indiquées comme plats principaux. Pour changer, on peut remplacer le bok choy par des brocolis ou par tout autre légume chinois comme par exemple le choi sum (chou chinois à fleurs) ou le kai lan (le colza chinois). Ce plat accompagne très bien la truite à la vapeur aux haricots noirs *(voir page 93)*.

INGRÉDIENTS *½ cuillerée à soupe d'huile de colza ou d'olive* │ *500 g de bok choy, coupé en deux dans le sens de la longueur* │ *20 shii-takes (champignons) frais, coupés en deux* │ *1 cuillerée à café de shoyu ou de tamari* │ *1 cuillerée à soupe de vin de riz chinois ou de xérès* │ *3 cuillerées à soupe de bouillon de légumes (voir page 17)*

POUR ÉPAISSIR *½ cuillerée à soupe de Maïzena délayée dans 1 cuillerée à soupe d'eau*

UN Dans une poêle antiadhésive, faire chauffer l'huile à feu vif jusqu'à ce qu'elle grésille. Bien la répartir sur tout le fond de la poêle. **DEUX** Ajouter le bok choy, une poignée après l'autre, et tourner de temps en temps. Couvrir la poêle et laisser cuire pendant 2 à 3 minutes jusqu'à ce que les feuilles commencent à se flétrir. Les transférer dans un plat de service. **TROIS** Remettre la poêle à chauffer et y mettre les shii-takes. Les faire revenir à feu vif, pendant 30 secondes. Ajouter le shoyu, le vin de riz et le bouillon de légumes et bien mélanger. Incorporer doucement la Maïzena délayée sans cesser de remuer jusqu'à ce que la sauce épaississe. **QUATRE** Verser le contenu de la poêle sur le bok choy et servir immédiatement.

Pour 4 personnes avec 2 autres plats principaux

VALEURS NUTRITIONNELLES PAR PERSONNE 343 kJ – 83 kcal – protéines : 7,3 g – hydrates de carbone : 7,3 g – sucres : 3,4 g – graisses : 2,3 g – acides gras saturés : 0,3 g – fibres : 4,8 g – sodium : 439 mg.

INFO SANTÉ Certains légumes peuvent se manger crus dans des salades. Ce n'est pas le cas du bok choy. La cuisson le rend plus doux au goût et plus juteux. Faire rapidement sauter les légumes leur permet de conserver la plupart des vitamines et des minéraux qu'ils contiennent. Les cuire à l'eau leur fait perdre plus de la moitié de leur teneur en vitamine C.

Chou frisé au piment

On reproche souvent au chou frisé d'être ligneux et immangeable. Pour contredire ce propos, il faut soigneusement sélectionner de jeunes feuilles, dans la mesure du possible, et ne pas oublier d'enlever chaque fois les côtes. Ce légume accompagne fort bien un plat en cocotte, par exemple le bœuf épicé et ragoût de légumes *(voir page 50)*.

INGRÉDIENTS *1 cuillerée à soupe d'huile d'olive* ‖ *1 gousse d'ail, écrasée* ‖ *1 gros oignon blanc, haché* ‖ *500 g de chou frisé, sans les côtes et les feuilles hachées* ‖ *2 cuillerées à café de jus de citron vert* ‖ *1 piment rouge, égrainé et coupé en morceaux* ‖ *1 cuillerée à café de sel de sésame* ‖ *½ cuillerée à café de poivre noir fraîchement moulu*

UN Dans une poêle, faire chauffer l'huile. Ajouter l'ail et l'oignon et les faire revenir pendant 10 minutes, jusqu'à ce que l'oignon devienne translucide. **DEUX** Ajouter le chou et le faire sauter pendant 5 minutes. **TROIS** Incorporer le jus de citron vert et le piment. Saler, poivrer et servir immédiatement.

Pour 4 personnes avec 2 autres plats principaux

VALEURS NUTRITIONNELLES PAR PERSONNE 414 kJ – 98 kcal – protéines : 9,1 g – hydrates de carbone : 6,8 g – sucres : 5,4 g – graisses : 4,1 g – acides gras saturés : 0,5 g – fibres : 8,3 g – sodium : 150 mg.

INFO SANTÉ Le chou frisé est riche en calcium qui est indispensable à la solidité des os et des dents, de même qu'au bon fonctionnement du système nerveux et des muscles.

Brocolis aux graines de sésame

Les très jeunes enfants comparent souvent les brocolis à des petits « arbres ». C'est un légume que nombre d'entre eux aiment croquant. Mais les adultes ne sont pas en reste quand les brocolis blanchis sont assaisonnés d'une sauce divine faite avec des graines de sésame, de l'huile de sésame, de l'ail et du shoyu ou du tamari. Dans le cadre d'un repas totalement végétarien, ces brocolis peuvent être servis avec des lentilles à la citronnelle et aux feuilles de limettier *(voir page 116)* et du riz à la vapeur ou blanc nature *(voir page 140)*.

INGRÉDIENTS *500 g de bouquets de brocoli* ‖ *1 cuillerée à café d'huile de sésame* ‖ *1 cuillerée à soupe de shoyu ou de tamari* ‖ *1 gousse d'ail, écrasée* ‖ *1 cuillerée à soupe de graines de sésame grillées*

UN Dans une casserole d'eau bouillante, faire blanchir les brocolis pendant quelques minutes puis les égoutter et les réserver sur un plat de service. **DEUX** Préparer la sauce d'assaisonnement en mélangeant l'huile de sésame, le shoyu et l'ail. La verser au-dessus des brocolis. **TROIS** Juste avant de servir, parsemer des graines de sésame.

Pour 4 personnes avec 2 autres plats principaux

VALEURS NUTRITIONNELLES PAR PERSONNE 286 kJ – 69 kcal – protéines : 6,3 g – hydrates de carbone : 2,7 g – sucres : 1,9 g – graisses : 3,6 g – acides gras saturés : 0,6 g – fibres : 3,6 g – sodium : 136 mg.

INFO SANTÉ Les brocolis sont riches en vitamine C et en bêta-carotène. Ils contiennent aussi de bonnes quantités d'acide folique, de fer et de potassium. Comme dans le cas des autres légumes, ces vitamines essentielles hydrosolubles sont facilement détruites par la chaleur ou dans l'eau de cuisson. Pour conserver aux légumes leurs vitamines et minéraux, il faut donc les faire cuire très peu de temps et lorsqu'on les fait cuire à l'eau, le faire dans un volume d'eau le plus réduit possible.

Tempeh épicé et sauté aux légumes

Ce plat est d'inspiration indonésienne, pays où le tempeh (préparation à partir de graines de soja trempées, cuites, puis fermentées par un champignon appelé *Rhizopus oligosporus*) remplace souvent la viande, le poisson et les œufs au niveau de l'apport en protéines. Il se sert accompagné de nouilles nature au blé complet ou aux œufs et se mange comme un « laksa » épais (soupe malaisienne).

INGRÉDIENTS *1 cuillerée à soupe d'huile de colza ou d'olive* ‖ *2 piments rouges frais, émincés* ‖ *2 tiges de citronnelle, coupées en fines tranches* ‖ *2 feuilles de limettier* ‖ *1 grosse gousse d'ail, écrasée* ‖ *2 petits morceaux de gingembre frais, pelés et râpés* ‖ *1 cuillerée à soupe de pâte de tamarin* ‖ *2 cuillerées à soupe de bouillon de légumes (voir page 17)* ‖ *2 cuillerées à café de shoyu ou de tamari* ‖ *1 cuillerée à soupe de miel liquide* ‖ *500 g de tempeh, découpé en bandes* ‖ *100 à 150 g de mini-épis de maïs doux* ‖ *100 à 150 g d'asperges, coupées en deux*

UN Dans une poêle antiadhésive ou un wok, faire chauffer l'huile à feu vif jusqu'à ce qu'elle grésille. Bien l'étaler sur tout le fond de la poêle puis ajouter les piments, la citronnelle, les feuilles de limettier, l'ail et le gingembre. Baisser le feu et faire revenir ces ingrédients pendant 2 à 3 minutes. **DEUX** Ajouter la pâte de tamarin, le bouillon de légumes, le shoyu et le miel et laisser cuire environ 2 à 3 minutes jusqu'à ce que la sauce épaississe et soit brillante. **TROIS** Ajouter le tempeh, le maïs doux et les asperges et les faire revenir pendant 2 minutes pour qu'ils soient chauds à cœur.

Pour 4 personnes avec 2 autres plats principaux

VALEURS NUTRITIONNELLES PAR PERSONNE 1 185 kJ – 282 kcal – protéines : 27 g – hydrates de carbone : 18,1 g – sucres : 10,6 g – graisses : 11,1 g – acides gras saturés : 0,4 g – fibres : 6,6 g – sodium : 111 mg.

INFO SANTÉ Le tamarinier produit des gousses en forme de faucille contenant une pulpe fruitée au goût assez acidulé. La pâte de tamarin est un concentré de la pulpe et s'utilise pour parfumer les soupes, les salades, les curries, les plats de viande et de poisson. Elle est riche en vitamine C et en fibres. La médecine populaire lui prête des pouvoirs laxatifs et antiseptiques.

Tofu ma-po

Ce plat est originaire du Sichuan. Traditionnellement, il se cuisine avec du bœuf ou du porc émincé. Cette variante, quoique végétarienne, dégage les mêmes parfums que l'original. Le tofu agit comme une éponge se gorgeant des épices. Cette recette gagne donc à être préparée dès la veille. La sauce assez relevée s'accommode avantageusement d'un riz blanc en accompagnement.

INGRÉDIENTS *5 ou 6 champignons chinois séchés* ‖ *1 cuillerée à soupe d'huile de colza ou d'olive* ‖ *2 gousses d'ail, écrasées* ‖ *2 piments rouges frais, égrainés et coupés en lanières* ‖ *30 cl de bouillon de légumes* (voir page 17) ‖ *½ cuillerée à soupe de sauce hoï sin* ‖ *½ cuillerée à soupe de pâte de soja jaune* ‖ *1 cuillerée à soupe de shoyu ou de tamari* ‖ *1 paquet de 400 g de tofu ferme, coupé en cubes* ‖ *3 petits oignons blancs, en fines lamelles, pour décorer*

POUR ÉPAISSIR *2 cuillerées à café de Maïzena délayées dans 2 cuillerées à soupe d'eau*

UN Mettre les champignons dans un saladier résistant à la chaleur. Les couvrir d'eau bouillante et fermer le tout à l'aide d'une assiette pour retenir la vapeur prisonnière. Laisser les champignons gonfler pendant 20 à 30 minutes. Les égoutter, leur couper les pieds, bien enlever toute l'eau retenue dans la tête et les hacher grossièrement. **DEUX** Dans une poêle antiadhésive ou dans un wok, faire chauffer l'huile jusqu'à ce qu'elle grésille. Ajouter l'ail et les piments et les faire sauter à feu moyen-vif pendant quelques secondes. **TROIS** Ajouter le bouillon et les trois sauces différentes et bien remuer. Laisser mijoter encore quelques minutes. **QUATRE** Incorporer délicatement le tofu et le laisser cuire quelques minutes pour qu'il soit chaud à cœur. **CINQ** Ajouter la Maïzena délayée dans la sauce en tournant doucement pour qu'elle épaississe. **SIX** Avant de servir, parsemer de lamelles d'oignons.

Pour 4 personnes avec 2 autres plats principaux

VALEURS NUTRITIONNELLES PAR PERSONNE 598 kJ – 132 kcal – protéines : 9,1 g – hydrates de carbone : 7,9 g – sucres : 0,6 g – graisses : 7,2 g – acides gras saturés : 0,9 g – fibres : 0,2 g – sodium : 197 mg.

INFO SANTÉ Pour fabriquer le tofu, on broie des graines de soja cuites, additionnées d'eau, puis on les égoutte et on les mélange avec du sulfate de calcium, ce qui le solidifie. Il constitue, pour cette raison, une excellente source de calcium en particulier pour les Extrême-Orientaux qui boivent peu de lait et ne consomment pas régulièrement de laitages.

Tofu sauté aux légumes variés

Voici une autre recette classique utilisant du tofu. Si le tofu est souvent frit, c'est avant tout pour le rendre croustillant, mais il en devient plus gras et plus calorique même s'il est délicieux. On peut parvenir à cette même texture en faisant d'abord rôtir les cubes de tofu avec un peu d'huile d'olive et en les faisant sauter après avec les autres ingrédients de la recette. Servir ce plat avec du riz vapeur et des aubergines aux senteurs de la mer *(voir page 124)*.

INGRÉDIENTS *1 cuillerée à soupe d'huile d'olive ou de colza* ‖ *1 petit morceau de gingembre frais, pelé et râpé* ‖ *1 gousse d'ail, écrasée* ‖ *1 cuillerée à café de flocons de piment déshydratés* ‖ *75 g de shii-takes (champignons), coupés en deux* ‖ *1 poivron rouge, égrainé et coupé en lanières* ‖ *500 g de bok choy, coupé en deux dans le sens de la longueur* ‖ *200 g de mini-épis de maïs doux* ‖ *2 cuillerées à soupe de shoyu ou de tamari* ‖ *2 cuillerées à café de sauce au piment* ‖ *quelques gouttes d'huile de sésame* ‖ *1 paquet de 400 g de tofu ferme, coupé en cubes de 1 cm de côté*

UN Faire chauffer à feu vif une poêle antiadhésive. Y verser l'huile et bien en enduire tout le fond. **DEUX** Ajouter le gingembre, l'ail, les flocons de piment et les faire sauter pendant quelques secondes. **TROIS** Ajouter les shii-takes et le poivron et les faire revenir pendant quelques minutes, puis le bok choy et le maïs. Laisser cuire encore 2 à 3 minutes. Assaisonner avec le shoyu, la sauce au piment et l'huile de sésame. **QUATRE** Incorporer le tofu et remuer délicatement jusqu'à ce qu'il soit chaud à cœur.

Pour 4 personnes avec 2 autres plats principaux

VALEURS NUTRITIONNELLES PAR PERSONNE 1 059 kJ – 255 kcal – protéines : 24,9 g – hydrates de carbone : 8,3 g – sucres : 6 g – graisses : 13,7 g – acides gras saturés : 1,7 g – fibres : 6,5 g – sodium : 673 mg.

INFO SANTÉ Le tofu est une bonne source de protéines et remplace la viande dans de nombreux plats. Il contient peu d'acides gras saturés mais une bonne quantité de vitamine E et un peu de fer et de phosphore.

Lentilles à la citronnelle et aux feuilles de limettier

Il est rare de trouver dans la cuisine traditionnelle chinoise des plats de lentilles en tant que telles. Elles font souvent partie des ingrédients composant la farce des ravioles emballées dans des feuilles de lotus. Le plat de la recette ci-dessous s'accompagne très bien d'un riz gluant *(voir page 141)*.

INGRÉDIENTS *½ cuillerée à soupe d'huile de colza ou d'olive* ‖ *½ cuillerée à soupe d'huile de sésame* ‖ *4 échalotes, finement émincées* ‖ *2 gousses d'ail, écrasées* ‖ *2 piments rouges, émincés* ‖ *450 à 500 g de lentilles vertes du Puy, brunes séchées ou blondes, lavées* ‖ *0,75 à 1 l de bouillon de légumes (voir page 17)* ‖ *2 feuilles de limettier séchées* ‖ *2 tiges de citronnelle, coupées en tronçons de 2,5 cm et légèrement écrasées et quelques-unes en plus pour décorer* ‖ *1 cuillerée à café de zeste de citron râpé* ‖ *2 cuillerées à soupe de shoyu ou de tamari* ‖ *1 grosse poignée de feuilles de basilic thaï (facultatif)*

UN Dans une casserole, faire chauffer les huiles de colza et de sésame à feu vif. Ajouter alors les échalotes, l'ail et les piments et les faire sauter pendant quelques minutes. **DEUX** Ajouter les lentilles et le bouillon de légumes et porter à ébullition. **TROIS** Incorporer les feuilles de limettier, la citronnelle, le zeste de citron et le shoyu puis, à feu doux, laisser mijoter pendant 25 à 30 minutes en remuant de temps en temps pour éviter que les lentilles n'attachent au fond de la casserole. Selon le type de lentilles utilisées, il peut s'avérer nécessaire d'ajouter du bouillon pour qu'elles ne se dessèchent pas. Ajouter, le cas échéant, les feuilles de basilic et décorer avec la citronnelle. Servir immédiatement.

Pour 4 à 6 personnes avec 2 autres plats d'accompagnement

VALEURS NUTRITIONNELLES PAR PERSONNE 1 627 kJ – 384 kcal – protéines : 32,8 g – hydrates de carbone : 56,8 g – sucres : 2,7 g – graisses : 4,4 g – acides gras saturés : 0,8 g – fibres : 0,5 g – sodium : 267 mg.

INFO SANTÉ Les lentilles contiennent peu de graisses et apportent à l'organisme des protéines et des fibres. Contrairement à la viande, au poisson, aux volailles et aux œufs, elles ne contiennent pas les quantités idéales d'acides aminés essentiels permettant une bonne croissance. Pour que leur apport en protéines soit « satisfaisant » il faut les servir avec d'autres légumes ou céréales complètes.

Œufs de caille et tofu à la sauce aux cacahuètes

Les œufs de caille agrémentent ce plat de tofu d'une touche intéressante. Le tofu est parfois considéré comme un aliment fade. Il n'en est rien dans cette recette où la sauce crémeuse aux cacahuètes l'épice agréablement. Ce plat se sert avec des petits pains à la vapeur *(voir page 137)* ou des nouilles aux œufs nature.

INGRÉDIENTS *125 g de tout petits champignons de Paris* ‖ *125 g de shii-takes (champignons), coupés en deux* ‖ *100 g de pousses de bambou, en conserve, égouttées* ‖ *1 paquet de 400 g de tofu ferme, coupé en cubes de 2,5 cm de côté* ‖ *8 œufs de caille, durcis et coupés en deux* ‖ *1 grosse cuillerée à soupe de coriandre fraîche, hachée, pour décorer*

SAUCE AUX CACAHUÈTES *4 cuillerées à soupe de beurre de cacahuètes allégé en graisses* ‖ *4 cuillerées à soupe de bouillon de légumes (voir page 17)* ‖ *50 g de yaourt de soja nature* ‖ *3 cuillerées à soupe de vinaigre de vin de riz* ‖ *1 cuillerée à soupe de shoyu ou de tamari* ‖ *1 gousse d'ail, écrasée* ‖ *2 petits morceaux de gingembre frais, pelés et râpés* ‖ *1 piment rouge, égrainé et émincé* ‖ *2 grosses cuillerées à soupe de coriandre fraîche, hachée*

UN Préparer la sauce en réduisant dans un mixer tous les ingrédients en un mélange onctueux. **DEUX** Verser cette sauce dans une casserole et la faire chauffer doucement. Ajouter les deux variétés de champignons et les pousses de bambou et les laisser cuire 2 à 3 minutes. Incorporer les cubes de tofu et mélanger délicatement pour qu'ils chauffent à cœur. **TROIS** Transférer cette préparation dans un grand saladier, disposer les moitiés d'œufs de caille au-dessus et parsemer de coriandre hachée.

Pour 4 personnes avec 2 autres plats principaux

VALEURS NUTRITIONNELLES PAR PERSONNE 645 kJ – 154 kcal – protéines : 12,9 g – hydrates de carbone : 7,5 g – sucres : 2,6 g – graisses : 8 g – acides gras saturés : 1,2 g – fibres : 1,1 g – sodium : 235 mg.

INFO SANTÉ Les œufs sont riches en vitamine B12, élément important pour le système nerveux. Beaucoup de gens sont inquiets de la teneur élevée des œufs en cholestérol (seul le jaune en contient) et de l'incidence que cela peut avoir sur leur taux de cholestérol dans le sang ou sur les risques de maladie cardio-vasculaire. Les cardiologues recommandent de ne pas consommer plus de 2 ou 3 œufs par semaine.

Fu yung aux légumes

En chinois « fu yung » veut dire « joli visage ». Cette recette rappelle un peu les œufs brouillés. On peut y ajouter aussi de la viande et des crevettes cuites ou encore des amandes grillées, mais attention de ne pas mettre trop d'ingrédients car il risque de ne plus y avoir assez d'œufs pour les lier. Ce plat se sert très bien avec du porc à la sauce aigre-douce *(voir page 53)* et du riz sauté aux fruits et aux légumes *(voir page 138)*.

INGRÉDIENTS *2 cuillerées à café d'huile de colza ou d'olive* ‖ *1 petit oignon blanc, émincé* ‖ *50 g de carottes, coupées en bâtonnets de 2,5 cm de long* ‖ *125 g de germes de soja frais* ‖ *50 g de ciboulette chinoise, coupée en tronçons de 2,5 cm de long* ‖ *une pincée de sel de mer* ‖ *½ cuillerée à café de poivre noir fraîchement moulu* ‖ *4 œufs, légèrement battus*

UN Dans une poêle antiadhésive, faire chauffer à feu vif l'huile jusqu'à ce qu'elle grésille. Bien huiler tout l'intérieur de la poêle. **DEUX** Ajouter les petits oignons et les carottes et les faire sauter pendant quelques secondes. Ajouter les germes de soja, la ciboulette chinoise, le sel et le poivre et remuer. **TROIS** Verser les œufs et les brouiller avec les légumes à feu moyen-vif. Dès que les œufs commencent à prendre, plier la préparation en demi-lune et la faire glisser au centre de la poêle. La laisser cuire encore 2 minutes à feu moyen-vif. La retourner et la laisser cuire de l'autre côté pendant 2 minutes. **QUATRE** Servir immédiatement.

Pour 4 personnes avec 2 autres plats

VALEURS NUTRITIONNELLES PAR PERSONNE 487 kJ – 117 kcal – protéines : 8,5 g – hydrates de carbone : 2,5 g – sucres : 1,9 g – graisses : 8,2 g – acides gras saturés : 2,1 g – fibres : 1 g – sodium : 85 mg.

INFO SANTÉ Faibles en calories, les œufs constituent une excellente source de protéines. De plus, ils regorgent de vitamines (A – contribue à maintenir la peau et les yeux en bonne santé –, D – aide à conserver les os et les dents solides –, B6 – nécessaire au métabolisme des protéines dans notre corps –) et de minéraux essentiels au maintien d'une bonne santé (calcium – renforcer os et dents –, fer – contribue au transport de l'oxygène dans les cellules –).

Salade de pommes et de fenouil à la sauce au tofu et à la ciboulette

Les salades figurent rarement sur les cartes des restaurants et des traiteurs chinois. Cette recette comble ce vide en associant la touche sucrée des pommes et la saveur anisée du fenouil dans une sauce moelleuse au tofu. Cette salade accompagne très bien la soupe à la courge et au tofu *(voir page 38)*.

INGRÉDIENTS *2 pommes rouges sucrées, épépinées et émincées* ‖ *2 grosses poires croquantes, épépinées et émincées* ‖ *1 gros bulbe de fenouil, finement émincé* ‖ *2 cuillerées à soupe de noix grillées*

SAUCE AU TOFU ET À LA CITRONNELLE *75 g de tofu* ‖ *1 cuillerée à soupe de vinaigre de riz* ‖ *1 cuillerée à soupe de jus de pomme* ‖ *½ gousse d'ail, écrasée* ‖ *2 cuillerées à soupe de ciboulette fraîche, hachée*

UN Mélanger tous les ingrédients de la sauce dans un mixer. Verser la sauce obtenue dans un pot doté d'un couvercle à vis et l'entreposer au réfrigérateur jusqu'au moment de s'en servir (elle peut se conserver une semaine au réfrigérateur). **DEUX** Mettre dans un saladier les pommes, les poires et le fenouil. Verser la sauce par-dessus et bien remuer le tout. Parsemer de noix juste avant de servir.

Repas léger pour 4 personnes

VALEURS NUTRITIONNELLES PAR PERSONNE 1 492 kJ – 359 kcal – protéines : 9,8 g – hydrates de carbone : 30,1 g – sucres : 28,2 g – graisses : 22,7 g – acides gras saturés : 1,9 g – fibres : 7,3 g – sodium : 24 mg.

INFO SANTÉ Les pommes rouges sont riches en vitamine C qui contribue au bon état du système immunitaire. Dans la médecine chinoise traditionnelle, les pommes servent à combattre la constipation.

Légumes chop suey

Les germes de soja frais sont l'ingrédient de base de tout plat chop suey. On peut d'ailleurs combiner tous les légumes qu'on veut à la condition de ne pas les faire trop cuire. Le côté croquant des différents légumes s'harmonise parfaitement avec les travers de porc *(voir page 54)*.

INGRÉDIENTS *½ cuillerée à soupe d'huile de colza ou d'olive* ǁ *1 cuillerée à café d'huile de sésame* ǁ *1 grosse échalote, émincée* ǁ *1 gousse d'ail, écrasée* ǁ *100 à 150 g de shii-takes (champignons), coupés en deux* ǁ *50 g de châtaignes d'eau en conserve, égouttées* ǁ *50 g de pousses de bambou en conserve, égouttées* ǁ *350 g de germes de soja frais* ǁ *2 petits oignons blancs, coupés en tronçons de 1,5 cm de long* ǁ *2 cuillerées à café de shoyu ou de tamari* ǁ *½ cuillerée à café de poivre noir fraîchement moulu*

UN Dans une poêle antiadhésive, faire chauffer les huiles de colza et de sésame, à feu vif. Ajouter l'échalote et l'ail et les faire sauter à feu moyen pendant 1 minute jusqu'à ce qu'ils embaument. **DEUX** À feu vif maintenant, ajouter les champignons, les châtaignes d'eau et les pousses de bambou et les faire sauter pendant 1 minute. **TROIS** Ajouter rapidement le soja, les oignons, le shoyu et le poivre et les faire revenir pendant 30 secondes. Servir immédiatement.

Pour 4 personnes avec 2 autres plats principaux

VALEURS NUTRITIONNELLES PAR PERSONNE 242 kJ – 58 kcal – protéines : 3,6 g – hydrates de carbone : 4,9 g – sucres : 2,6 g – graisses : 2,8 g – acides gras saturés : 0,4 g – fibres : 1,6 g – sodium : 114 mg.

INFO SANTÉ L'échalote et l'ail font partie de la famille des Liliacées. Des études scientifiques ont montré que les plantes de cette famille contribuaient à augmenter le taux du bon cholestérol. C'est ce bon cholestérol qui aide à éliminer des artères le mauvais cholestérol, réduisant ainsi les risques de maladies cardio-vasculaires.

Pousses de bambou et champignons de paille aux brocolis

Il est souvent difficile de trouver hors de Chine des pousses de bambou fraîches, c'est pourquoi celles utilisées dans cette recette sont en conserve. Mieux vaut choisir les pousses entières et non émincées, car elles sont plus croquantes et ont meilleur goût. Pour un repas végétarien, servir ce plat avec des œufs de caille et tofu à la sauce aux cacahuètes (voir page 118).

INGRÉDIENTS *1 cuillerée à soupe d'huile de colza ou d'olive* ‖ *2 petits morceaux de gingembre frais* ‖ *1 gousse d'ail, écrasée* ‖ *1 cuillerée à soupe de pâte de soja jaune* ‖ *500 g de pousses de bambou entières, en conserve, égouttées* ‖ *125 g de champignons de paille, en conserve* ‖ *10 cl de bouillon de légumes* (voir page 17) ‖ *2 cuillerées à soupe de vin de riz chinois ou de xérès* ‖ *250 g de bouquets de brocoli*

UN Dans une poêle antiadhésive ou dans un wok, faire chauffer à feu vif l'huile jusqu'à ce qu'elle grésille. Ajouter le gingembre et l'ail et les faire sauter pendant quelques secondes. **DEUX** Ajouter la pâte de soja jaune et faire cuire pendant encore 1 minute. **TROIS** Ajouter les pousses de bambou et les champignons de paille. Ces champignons asiatiques poussent sur la paille de riz. Remuer et ajouter le bouillon et le vin de riz. À feu moyen, laisser braiser pendant 5 minutes. **QUATRE** Á feu vif, ajouter les brocolis et les faire sauter pendant 3 à 4 minutes, le temps que le bouillon se soit quasiment évaporé. Servir immédiatement.

Pour 4 personnes avec 2 autres plats principaux

VALEURS NUTRITIONNELLES PAR PERSONNE 315 kJ – 76 kcal – protéines : 5,4 g – hydrates de carbone : 3,2 g – sucres : 2,5 g – graisses : 3,7 g – acides gras saturés : 0,7 g – fibres : 3,9 g – sodium : 170 mg.

INFO SANTÉ Si ce plat est consommé en plat principal, il compte pour deux portions de légumes. Il présente ainsi l'avantage d'augmenter la consommation de fibres, qui contribuent au bon état de l'intestin, et donne en même temps l'occasion de faire un bon repas.

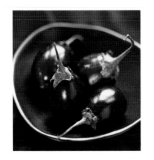

Aubergines aux senteurs de la mer

Ce plat originaire du Sichuan est souvent qualifié d'aubergines au fumet de poissons, car les épices avec lesquelles il est préparé sont, en général, celles qu'on utilise pour cuire le poisson. Cette variante est moins épicée que la traditionnelle mais tout aussi délicieuse. Pour obtenir un plat moyennement relevé, il faut enlever les graines du piment. Servir ce plat avec un autre tout aussi convivial, tel que les boulettes de poisson épicées à la sauce aigre-douce *(voir page 80)*.

INGRÉDIENTS *750 g d'aubergines* ‖ *½ cuillerée à soupe d'huile d'olive* ‖ *4 ou 5 gousses d'ail, hachées finement* ‖ *2 petits morceaux de gingembre frais, pelés et râpés* ‖ *1 piment rouge, émincé* ‖ *5 cl de bouillon de légumes (voir page 17)* ‖ *¾ de cuillerée à soupe de pâte de soja jaune* ‖ *1 cuillerée à soupe de vin de riz chinois ou de xérès* ‖ *1 cuillerée à café de shoyu ou de tamari* ‖ *2 petits oignons blancs, hachés, pour décorer*

POUR ÉPAISSIR *1 cuillerée à café de Maïzena délayée dans 1 cuillerée à soupe d'eau*

UN Déposer les aubergines, telles quelles, dans un plat allant au four, tapissé d'une feuille d'aluminium. Placer le plat à mi-hauteur dans un four préchauffé à 200 °C (thermostat 6) et les laisser cuire pendant 30 à 35 minutes pour qu'elles s'amollissent et que leur peau plisse. Les retirer du four et les laisser refroidir puis les couper en cubes de 2,5 cm de côté. **DEUX** Dans une poêle antiadhésive, faire chauffer à feu vif l'huile. Ajouter ensuite l'ail, le gingembre et le piment et les faire revenir pendant quelques secondes jusqu'à ce qu'ils embaument. Ajouter le bouillon, la pâte de soja jaune, le vin de riz et le shoyu et porter le tout à ébullition. **TROIS** Ajouter à la sauce les aubergines et laisser mijoter pendant environ 5 minutes. **QUATRE** Incorporer doucement la Maïzena délayée et laisser cuire jusqu'à ce que la sauce épaississe et devienne translucide. **CINQ** Parsemer les oignons et servir immédiatement.

Pour 4 personnes avec 2 autres plats principaux

VALEURS NUTRITIONNELLES PAR PERSONNE 275 kJ – 65 kcal – protéines : 2,5 g – hydrates de carbone : 8,1 g – sucres : 4,7 g – graisses : 2,4 g – acides gras saturés : 0,4 g – fibres : 4,2 g – sodium : 124 mg.

INFO SANTÉ Au cours de la cuisson, les aubergines peuvent absorber de grandes quantités d'huile. Quand une recette comporte des aubergines, mieux vaut donc d'abord les plonger dans de l'eau salée qui drainera vers l'extérieur leur amertume. Ce phénomène rendra leur chair plus dense et, par là, moins susceptible d'absorber de grandes quantités de graisses.

Haricots verts sautés à sec

La variante sichuanaise de ce plat se cuisine généralement avec du piment, des légumes en conserve et des crevettes séchées. Dans cette version toute simple, nul besoin de ces ingrédients, seuls l'ail et le vin de riz rehaussent la délicatesse naturelle des haricots verts. Servir des hors-d'œuvre comme les raviolis vapeur aux légumes et aux noix de cajou *(voir page 36)*, la soupe aux wontons *(voir page 39)* ou la soupe de riz épicée *(voir page 145)* lors d'un brunch dominical pas tout à fait comme les autres.

INGRÉDIENTS *½ cuillerée à soupe d'huile de colza ou d'olive* ‖ *4 gousses d'ail, hachées finement* ‖ *1 piment rouge, égrainé et émincé* ‖ *500 g de haricots verts, équeutés* ‖ *1 cuillerée à café de shoyu ou de tamari* ‖ *1 cuillerée à soupe de vin de riz chinois ou de xérès* ‖ *5 cl de bouillon de légumes (voir page 17)*

UN Dans une poêle antiadhésive, faire chauffer l'huile à feu vif. Ajouter alors l'ail et le piment et les faire revenir quelques secondes. **DEUX** Ajouter les haricots verts et les faire sauter pendant 1 minute. Puis verser dans la poêle le shoyu, le vin de riz et le bouillon de légumes. Couvrir et laisser cuire pendant environ 2 minutes. **TROIS** Retirer le couvercle et faire sauter encore les haricots pendant 1 à 2 minutes pour que le bouillon s'évapore.

Pour 4 personnes avec 2 autres plats principaux

VALEURS NUTRITIONNELLES PAR PERSONNE 260 kJ – 63 kcal – protéines : 2,7 g – hydrates de carbone : 4,7 g – sucres : 3 g – graisses : 3,4 g – acides gras saturés : 0,5 g – fibres : 2,9 g – sodium : 42 mg.

INFO SANTÉ Les haricots verts sont riches en vitamines B1 et B2 qui contribuent au bon fonctionnement du système immunitaire.

Riz, lentilles et champignons chinois
On retrouve souvent ce mélange de légumes enrichi de porc gras dans les feuilles de banane farcies qu'on sert pendant la fête des « Bateaux - Dragons », célébrée le cinquième jour du cinquième mois du calendrier lunaire chinois. La recette donnée ci-dessous n'intègre pas de viande et se prépare dans une casserole, ce qui demande moins de travail et moins de temps mais le résultat est tout aussi délicieux.

INGRÉDIENTS *4 ou 5 champignons chinois séchés* ‖ *50 g de lentilles vertes* ‖ *250 g de riz thaï au jasmin* ‖ *1 cuillerée à soupe d'huile de colza ou d'olive* ‖ *2 échalotes, émincées* ‖ *30 à 35 cl de bouillon de légumes ou de poule (voir page 17)* ‖ *5 ou 6 châtaignes fraîches ou congelées, pelées* ‖ *1 grosse pincée de coriandre fraîche, hachée, pour décorer (facultatif)*

UN Mettre dans un saladier résistant à la chaleur les champignons séchés. Les recouvrir d'eau bouillante et couvrir le tout d'une assiette pour retenir la vapeur. Mettre de côté pendant 20 à 30 minutes. Égoutter les champignons, leur ôter les pieds, bien enlever l'eau retenue dans les têtes et les couper en deux. **DEUX** Laver les lentilles dans plusieurs eaux, puis les laisser tremper pendant environ 10 minutes pour qu'elles s'amollissent. Les égoutter et les réserver. **TROIS** Rincer soigneusement le riz et le laisser égoutter dans une passoire. **QUATRE** Dans une casserole, faire chauffer l'huile à feu moyen. Ajouter les échalotes, les couvrir et les laisser cuire à l'étouffée pendant 3 à 4 minutes, à feu doux. **CINQ** Ajouter les lentilles et les faire revenir avec les échalotes pendant quelques minutes à feu doux. **SIX** Ajouter le riz et mélanger le tout. Mettre à feu plus vif et verser le bouillon. Porter le mélange à ébullition puis mettre à tout petit feu. Déposer les champignons et les châtaignes sur le dessus du mélange, couvrir et laisser mijoter pendant 15 minutes. **SEPT** Hors du feu, laisser la casserole reposer au moins 20 minutes. Saupoudrer de coriandre avant de servir, le cas échéant.

Repas léger pour 4 personnes

VALEURS NUTRITIONNELLES PAR PERSONNE 1 383 kJ – 326 kcal – protéines : 8,6 g – hydrates de carbone : 4,5 g – sucres : 1,5 g – graisses : 5,6 g – acides gras saturés : 1,1 g – fibres : 1,1 g – sodium : 7 mg.

INFO SANTÉ Contrairement aux noix, amandes, etc. les châtaignes sont riches en hydrates de carbone et en fibres et pauvres en graisses. Elles contiennent beaucoup de vitamine B6 qui contribue au bon fonctionnement des systèmes nerveux et immunitaire.

Riz et nouilles

Nouilles sautées aux cacahuètes et au maïs doux
Cette recette vient d'Asie du Sud-Est où les nouilles de riz sont plus souvent des collations ou des repas légers que la composante d'un repas.

INGRÉDIENTS *100 à 150 g de vermicelles de riz ‖ 2 cuillerées à soupe d'huile de colza ou d'olive ‖ 2 gousses d'ail, écrasées ‖ 2 petits morceaux de gingembre frais, pelés et râpés ‖ 1 cuillerée à soupe bombée de pâte de curry moyennement épicée ‖ 250 g de mini-épis de maïs doux ‖ 250 g de chou chinois, émincé ‖ 1 petit piment rouge, égrainé et émincé ‖ ½ cuillerée à soupe de sauce au poisson thaï ‖ 2 cuillerées à café de shoyu ou de tamari ‖ 6 cl de lait de coco allégé ‖ 100 g de cacahuètes non salées, grillées, hachées grossièrement ‖ 2 grosses pincées de coriandre fraîche, hachée ‖ 4 petits oignons blancs, émincés ‖ 2 cuillerées à soupe de jus de citron vert ‖ des brins de coriandre, pour décorer*

UN Plonger les vermicelles dans un saladier d'eau bouillante. Les y laisser se ramollir, à couvert, pendant 5 minutes. Les égoutter et les réserver. **DEUX** Dans une grande poêle antiadhésive, faire chauffer l'huile à feu vif jusqu'à ce qu'elle grésille. Ajouter l'ail, le gingembre, la pâte de curry et faire revenir le tout pendant 2 à 3 minutes, jusqu'à ce que les épices embaument. **TROIS** Ajouter le maïs, le chou et le piment et les faire sauter pendant 5 minutes pour que le chou s'amollisse et se flétrisse. **QUATRE** Ajouter la sauce au poisson, le shoyu et le lait de coco. Remuer pour bien mélanger puis ajouter les vermicelles et les faire sauter pour qu'elles chauffent à cœur. Hors du feu, incorporer les cacahuètes, la coriandre hachée, les petits oignons et le jus de citron vert. Décorer avec des brins de coriandre.

Pour 4 personnes

VALEURS NUTRITIONNELLES PAR PERSONNE 2 272 kJ – 557 kcal – protéines : 18,7 g – hydrates de carbone : 72 g – sucres : 10,7 g – graisses : 22,8 g – acides gras saturés : 4,5 g – fibres : 7 g – sodium : 464 mg.

INFO SANTÉ Le maïs doux contient deux éléments chimiques végétaux importants, la zéaxanthine et la lutéine. Des études scientifiques ont montré que ces deux caroténoïdes agissaient comme des antioxydants, qui combattent les méfaits causés par les radicaux libres, particulièrement au niveau des yeux.

Poulet chow mein

Littéralement « chow mein » signifie « nouilles sautées ». Dans ce plat, les nouilles croquantes et grillées absorbent la sauce du poulet et des germes de soja qui l'accompagnent. On peut épicer ce plat un peu plus en ajoutant de la sauce au piment.

INGRÉDIENTS *200 g de blanc de poulet, coupé en lanières* ‖ *200 à 250 g de nouilles au blé complet ou aux œufs* ‖ *1 cuillerée à soupe d'huile de colza ou d'olive* ‖ *2 gousses d'ail, hachées* ‖ *2 cuillerées à café de shoyu ou de tamari* ‖ *30 cl de bouillon de poule épicé (voir page 17)* ‖ *250 g de germes de soja frais* ‖ *2 petits oignons blancs, émincés*

MARINADE *½ cuillerée à café de Maïzena* ‖ *½ cuillerée à café d'huile de sésame* ‖ *du poivre blanc fraîchement moulu*

POUR ÉPAISSIR *2 cuillerées à café de Maïzena délayées dans 2 cuillerées à soupe d'eau*

UN Mélanger les ingrédients de la marinade et en enduire les lanières de poulet. Les réserver. **DEUX** Plonger les nouilles dans un grand saladier d'eau bouillante. Les couvrir et les laisser s'amollir pendant 5 à 8 minutes. Les égoutter et les réserver. **TROIS** Dans une poêle, faire chauffer ½ cuillerée à soupe de l'huile, à feu vif. Ajouter l'ail et le faire sauter pendant quelques secondes pour qu'il brunisse légèrement. **QUATRE** Ajouter les nouilles avec 1 cuillerée à café de shoyu et les faire revenir jusqu'à ce qu'elles soient craquantes. Les transférer dans un plat de service. **CINQ** Dans la même poêle, faire chauffer l'huile restante et ajouter les lanières de poulet. Les faire sauter et quand elles seront presque cuites, ajouter le bouillon et le shoyu restant. Les faire cuire pendant 1 minute. **SIX** Ajouter les germes de soja et les petits oignons et faire revenir le tout encore 1 minute. **SEPT** Incorporer délicatement la Maïzena délayée et mélanger pour que la sauce épaississe. Laisser cuire le temps que la sauce devienne translucide puis verser le contenu de la poêle au-dessus des nouilles.

Légère collation pour 4 personnes

VALEURS NUTRITIONNELLES PAR PERSONNE 1 445 kJ – 342 kcal – protéines : 21 g – hydrates de carbone : 45,7 g – sucres : 2,6 g – graisses : 9,7 g – acides gras saturés : 2,1 g – fibres : 2,7 g – sodium : 220 mg.

INFO SANTÉ La cuisine orientale utilise beaucoup l'ail dont les vertus pour la santé sont vantées depuis des siècles. Mais les caractéristiques positives n'ont été scientifiquement étayées que récemment. Par exemple, la recherche médicale a montré que l'ail avait une incidence sur la coagulation du sang, ce qui a des implications certaines sur le bon fonctionnement du cœur.

Soupe aromatique aux nouilles de riz et aux noix de cajou

Les nouilles de riz plates (« ho fun ») se composent de farine de riz, d'amidon de blé et d'eau. Comme il est souvent difficile de trouver des « ho fun » frais en dehors des supermarchés orientaux, cette recette se fait aussi avec des nouilles de riz sèches. Elles sont tout aussi bonnes mais sont facilement trop cuites, ce qui les rend molles et gorgées d'eau.

INGRÉDIENTS *200 à 250 g de nouilles de riz (ho fun)* ‖ *2 l de bouillon de légumes (voir page 17)* ‖ *1 cuillerée à soupe de shoyu ou de tamari* ‖ *2 petits oignons blancs, émincés en diagonale* ‖ *2 cuillerées à soupe de coriandre fraîche, hachée* ‖ *2 cuillerées à soupe de menthe fraîche, hachée* ‖ *100 à 150 g de germes de soja frais* ‖ *40 g de noix de cajou non salées et grillées* ‖ *½ cuillerées à café d'huile de sésame* ‖ *1 citron vert, coupé en quartiers*

UN Porter une grande casserole d'eau à ébullition. Y jeter les nouilles de riz. Retirer la casserole du feu et la couvrir. Laisser reposer pendant 3 à 4 minutes puis égoutter les nouilles. **DEUX** Pendant ce temps, faire bouillir le bouillon de légumes. Ajouter le shoyu, baisser le feu et laisser mijoter jusqu'au moment de s'en servir. **TROIS** Dans quatre grands bols, répartir les nouilles puis, au-dessus, les oignons, la coriandre, la menthe, les germes de soja et les noix de cajou. **QUATRE** Remplir les quatre bols, à parts égales, de bouillon et servir immédiatement avec les quartiers de citron vert.

Légère collation pour 4 personnes

VALEURS NUTRITIONNELLES PAR PERSONNE 1 255 kJ – 301 kcal – protéines : 6,2 g – hydrates de carbone : 54,7 g – sucres : 1,4 g – graisses : 5,5 g – acides gras saturés : 1 g – fibres : 0,9 g – sodium : 137 mg.

INFO SANTÉ Comme tous les agrumes, les citrons verts sont riches en vitamine C. Le jus de citron vert remplace avantageusement le sel, ce qui s'avère bien utile pour ceux qui essaient de réduire leur consommation de sel.

Vermicelles de riz aux crevettes aromatiques
Les vermicelles de riz sont à usages multiples en ce sens qu'ils peuvent être sautés, cuits dans une soupe ou servir à absorber toutes les senteurs et les épices associées aux crevettes, comme c'est le cas dans cette recette. Ils peuvent agréablement remplacer le riz nature lors d'un repas.

INGRÉDIENTS *400 g de crevettes crues, épongées avec du papier absorbant pour qu'elles soient moins humides* ‖ *2 cuillerées à soupe d'huile d'olive* ‖ *400 g de vermicelles de riz* ‖ *4 gousses d'ail, écrasées* ‖ *3 piments rouges, égrainés et coupés en morceaux* ‖ *2 tiges de citronnelle, coupées en petits morceaux* ‖ *2 oignons, coupés en deux* ‖ *6 branches de céleri, coupées en petits morceaux* ‖ *4 cuillerées à café de shoyu ou de tamari* ‖ *3 petits oignons blancs, coupés en deux* ‖ *du poivre noir fraîchement moulu* ‖ *3 cuillerées à café de sauce au citron et au poisson (voir page 19)* ‖ *4 cuillerées à soupe de cacahuètes non salées, grillées et broyées, pour décorer* ‖ *2 piments rouges, fendus en long, pour décorer*

UN Dans un petit saladier, mélanger les crevettes avec 1 cuillerée à soupe d'huile d'olive et les réserver. **DEUX** Plonger les vermicelles de riz dans de l'eau chaude, les couvrir et les y laisser pendant 5 à 10 minutes pour qu'ils s'amollissent. Bien les égoutter puis les transférer dans un plat de service en évitant qu'ils ne refroidissent. **TROIS** Faire chauffer une poêle antiadhésive. Quand elle est très chaude, y déposer les crevettes 30 secondes de chaque côté pour les laisser brunir. Les retirer de la poêle et les réserver. **QUATRE** Faire chauffer l'huile restante en en enduisant bien tout l'intérieur de la poêle. Ajouter l'ail, le piment et la citronnelle et les faire sauter pendant environ 30 secondes pour que l'ail brunisse légèrement. Ajouter les oignons et le céleri et faire revenir le tout pendant quelques minutes pour qu'ils s'amollissent un peu. **CINQ** Remettre les crevettes dans la poêle et ajouter le shoyu et les petits oignons. Poivrer et verser sur le dessus la sauce au citron et au poisson. **SIX** Parsemer les cacahuètes et décorer avec les piments avant de servir en présentant la sauce restante à part.

Repas léger pour 4 personnes

VALEURS NUTRITIONNELLES PAR PERSONNE 2 599 kJ – 622 kcal – protéines : 28,4 g – hydrates de carbone : 93,1 g – sucres : 7,3 g – graisses : 14 g – acides gras saturés : 2,2 g – fibres : 2,8 g – sodium : 793 mg.

INFO SANTÉ Le céleri contient une substance chimique, l'apigénine, qui a des pouvoirs anti-inflammatoires et qui peut donc contribuer à soulager les symptômes douloureux de la goutte. Il est aussi riche en fibres solubles, ce qui peut contribuer à baisser le taux de cholestérol dans le sang.

Nouilles au sarrasin avec noix de cajou et coriandre Cette recette

est une version simplifiée d'une soupe épicée aux nouilles préparée en Malaisie et appelée « laksa ». Mais elle recourt ici à des nouilles au sarrasin qui sont plus denses que les traditionnelles nouilles de riz.

INGRÉDIENTS *350 à 400 g de nouilles au sarrasin* ‖ *½ cuillerée à soupe d'huile de colza ou d'olive* ‖ *½ cuillerée à café d'huile de sésame* ‖ *1 gros oignon, émincé* ‖ *4 gousses d'ail, écrasées* ‖ *1 grande carotte, coupée en fines rondelles* ‖ *1 petit morceau de gingembre frais, pelé et râpé* ‖ *1 piment rouge, égrainé et émincé* ‖ *2 l de bouillon de légumes (voir page 17)* ‖ *4 cuillerées à soupe de pâte de tamarin* ‖ *3 cuillerées à soupe de shoyu ou de tamari*

POUR DÉCORER *150 g de noix de cajou grillées, non salées* ‖ *une poignée de coriandre fraîche, hachée*

UN Mettre les nouilles dans une grande casserole d'eau bouillante. Couvrir la casserole, la retirer du feu et y laisser les nouilles de 5 à 7 minutes pour qu'elles s'amollissent légèrement. Les égoutter et les réserver. **DEUX** Pendant ce temps, faire chauffer dans une grande casserole les huiles de colza et de sésame à feu moyen-vif. Ajouter l'oignon, l'ail, la carotte, le gingembre et le piment et laisser le tout cuire pendant 2 à 3 minutes en remuant de temps en temps. **TROIS** Ajouter le bouillon et la pâte de tamarin et porter à ébullition. Baisser le feu et laisser mijoter pendant environ 10 minutes. Ajouter alors le shoyu. **QUATRE** Dans 4 à 6 bols, répartir les nouilles puis, au-dessus, le bouillon. **CINQ** Avant de servir, parsemer des noix de cajou et de la coriandre hachée.

Repas pour 4 à 6 personnes

VALEURS NUTRITIONNELLES PAR PERSONNE 2 533 kJ – 607 kcal – protéines : 20,8 g – hydrates de carbone : 90,4 g – sucres : 19,9 g – graisses : 20,8 g – acides gras saturés : 4 g – fibres : 2,4 g – sodium : 1 068 mg.

INFO SANTÉ Les nouilles au sarrasin, appelées « soba », sont japonaises et contiennent plus de fibres que les nouilles de riz. Certaines appelées « cha soba » sont faites avec du thé vert. Le thé contient une substance appelée la quercétine qui agit comme un antioxydant. Des recherches menées auprès des Japonais ont révélé une fréquence de cancers moindre chez les buveurs de thé et particulièrement chez ceux qui boivent du thé vert.

Petits pains à la vapeur

Les petits pains et les ravioles constituent pour les Chinois du Nord la principale source d'hydrates de carbone. Dans le Sichuan, les petits pains à la vapeur sont traditionnellement préparés avec du saindoux, mais dans cette recette il est remplacé par de l'huile d'olive. Ces petits pains peuvent soit accompagner un repas, soit constituer une collation.

INGRÉDIENTS *½ cuillerée à café de levure en poudre ‖ 1 cuillerée à café de sucre ‖ 15 à 20 cl d'eau chaude ‖ 250 à 300 g de farine ‖ 1 cuillerée à soupe d'huile d'olive ‖ 20 petits carrés de papier sulfurisé*

UN Dans un bol, mélanger la levure et le sucre puis l'eau chaude. Entreposer dans un endroit chaud jusqu'à ce que la levure commence à mousser. **DEUX** Tamiser la farine dans un grand saladier. Ajouter la levure et l'huile et bien mélanger. **TROIS** Pétrir la préparation avec les mains. Si la pâte s'avère trop collante, rajouter de la farine. Déposer la boule obtenue sur une surface légèrement farinée et la pétrir encore 5 minutes jusqu'à ce que la pâte soit souple. **QUATRE** Remettre la pâte dans le saladier, la recouvrir d'un linge humide et la laisser lever pour qu'elle double de volume, dans un endroit chaud, pendant 1 heure 30. **CINQ** La frapper avec les poings pendant quelques secondes puis la diviser en 20. Donner à chaque portion une forme fantaisie ou non – boules, nœuds ou croissants, par exemple – et les déposer, chacune, sur un carré de papier, ce qui les empêchera de coller. Les laisser reposer 15 minutes. **SIX** Pendant ce temps, remplir un wok d'eau aux deux tiers. Placer au milieu une grille et porter l'eau à ébullition. Placer les petits pains dans un panier en bambou et les faire cuire à la vapeur à feu vif pendant 10 à 12 minutes. Retirer du feu et servir immédiatement.

Pour 20 petits pains

VALEURS NUTRITIONNELLES PAR PETIT PAIN 226 kJ – 53 kcal – protéines : 1,4 g – hydrates de carbone : 11 g – sucres : 0,5 g – graisses : 0,7 g – acides gras saturés : 0,1 g – fibres : 0,4 g – sodium : traces.

INFO SANTÉ Le fait de remplacer un quart de la farine de blé par de la farine complète permet de doubler la teneur en fibres de ces petits pains. Les petits pains nature peuvent être congelés : pour les manger il suffira alors de les réchauffer à la vapeur à feu vif pendant 10 minutes.

Riz sauté aux fruits et aux légumes

Voici une façon bien colorée et goûteuse d'utiliser un reste de riz nature. Chez les traiteurs on trouve souvent du riz sauté agrémenté de viande et de crevettes, ce qui en augmente la teneur en protéines. Cette variante plus légère se compose de légumes et de fruits croquants. Elle accompagne très bien le rôti de porc *(voir page 56)*.

INGRÉDIENTS *1 cuillerée à soupe d'huile d'olive* ‖ *150 g de carottes, coupées en dés* ‖ *1 œuf, battu* ‖ *500 g de riz blanc, cuit dans du bouillon de légumes (voir page 140)* ‖ *100 g de petits pois surgelés, décongelés* ‖ *100 g de maïs doux en grains, en conserve, égouttés* ‖ *100 g d'ananas en morceaux, en conserve, égouttés* ‖ *1 cuillerée à soupe de shoyu ou de tamari* ‖ *½ cuillerée à café de poivre blanc* ‖ *2 cuillerées à soupe de petits oignons blancs, hachés*

UN Dans une poêle antiadhésive ou dans un wok, faire chauffer l'huile puis faire sauter les carottes pendant 1 minute. Ajouter ensuite l'œuf battu. **DEUX** Ajouter le riz cuit, les petits pois, le maïs et l'ananas et faire revenir pendant 5 minutes. Verser le shoyu et poivrer. **TROIS** Au moment de servir, incorporer les petits oignons hachés.

Pour 4 personnes en plat d'accompagnement

VALEURS NUTRITIONNELLES PAR PERSONNE 1 572 kJ – 371 kcal – protéines : 9,4 g – hydrates de carbone : 71,1 g – sucres : 9 g – graisses : 7,5 g – acides gras saturés : 1,6 g – fibres : 2,8 g – sodium : 226 mg.

INFO SANTÉ L'ananas contient une bonne quantité de vitamine C, de fibres et de potassium.

Riz blanc nature

Le riz est l'aliment de base dans le sud de la Chine. On pense souvent qu'il est fade quand il est nature mais ce n'est pas le cas dans cette recette où l'eau de cuisson est remplacée par du bouillon qui lui donne un bon goût. Rappel : le riz ne se cuit pas comme les pâtes. Il ne doit absolument jamais être rincé à l'eau froide à la fin de la cuisson pour que les grains soient bien séparés.

INGRÉDIENTS *350 g de riz thaï au jasmin ou à longs grains* ‖ *30 cl de bouillon de légumes ou de poule (voir page 17)*

UN Verser le riz dans une passoire et le laver à l'eau chaude courante en frottant les grains entre ses mains. Cette opération débarrasse le riz d'un excédent d'amidon. **DEUX** Mettre le riz dans une casserole et le recouvrir de bouillon. Déposer la casserole sur la plus petite plaque ou le plus petit brûleur et porter à ébullition. Remuer alors le riz rapidement et baisser le feu. Couvrir la casserole et laisser cuire le riz à petit feu pendant 15 minutes. Hors du feu, laisser le riz dans la casserole, à couvert, pendant encore 20 minutes. Résister à la tentation de soulever le couvercle. **TROIS** Avant de servir, aérer les grains de riz à l'aide d'une cuillère ou d'une fourchette.

Pour 4 personnes en plat d'accompagnement

VALEURS NUTRITIONNELLES PAR PERSONNE 1 314 kJ – 314 kcal – protéines : 6,5 g – hydrates de carbone : 70 g – sucres : 0 g – graisses : 0,4 g – acides gras saturés : 0 g – fibres : 0 g – sodium : 0 mg.

INFO SANTÉ La médecine traditionnelle chinoise se sert du riz pour traiter toute une série de problèmes intestinaux qui vont de l'indigestion à l'ulcère à l'estomac. Pour augmenter la teneur en fibres de ce plat, on peut remplacer un quart du riz blanc par du riz complet. Cela donne au plat une touche croquante et un goût de noix.

Riz gluant

On trouve du riz gluant ou glutineux dans les supermarchés orientaux. Les grains sont petits et courts et lorsqu'ils sont cuits ils deviennent translucides et glutineux. Si vous n'en trouvez pas, le riz pour sushi japonais peut plus ou moins le remplacer.

INGRÉDIENTS *300 g de riz glutineux* ‖ *75 cl d'eau*

UN Laver le riz dans plusieurs eaux et l'égoutter. Le plonger dans un grand saladier rempli d'eau et le laisser tremper de 5 à 6 heures, voire toute une nuit. **DEUX** Égoutter le riz, le relaver et l'égoutter une nouvelle fois, soigneusement. **TROIS** Faire chauffer de l'eau dans la partie inférieure d'un cuit-vapeur. Mettre le riz dans la partie supérieure et verser suffisamment d'eau, jusqu'à 1 cm au-dessus du riz. Couvrir et laisser cuire à feu doux pendant 20 à 30 minutes. Ne pas oublier de vérifier le niveau de l'eau dans la partie basse. On peut, si l'on ne dispose pas de cuit-vapeur, en improviser un en mettant le riz glutineux, gorgé d'eau, dans une passoire à légumes en métal, elle-même placée au-dessus d'une casserole d'eau bouillante. Couvrir et laisser cuire à la vapeur pendant environ 1 heure. Vérifier régulièrement le niveau de l'eau pour que la casserole ne chauffe pas à vide.

Pour 4 personnes en plat d'accompagnement

VALEURS NUTRITIONNELLES PAR PERSONNE 1 127 kJ – 269 kcal – protéines : 6,3 g – hydrates de carbone : 56,2 g – sucres : 0 g – graisses : 1,2 g – acides gras saturés : 0 g – fibres : 0 g – sodium : 2 mg.

INFO SANTÉ Le riz gluant change agréablement du riz blanc nature pour accompagner un plat. Enrichi de maïs doux, de carottes, de petits pois et de morceaux de viande cuite, il peut même constituer une collation consistante ou un repas léger.

Riz sauté aux crevettes
Cette recette de riz sauté, très coloré, figure sur les menus de tous les restaurants et traiteurs chinois. Voici une variante de ce plat très populaire. Elle n'inclut ni œuf, ni porc, mais des crevettes et tout un assortiment de légumes.

INGRÉDIENTS *1 cuillerée à soupe d'huile de colza ou d'olive ‖ 500 g de crevettes fraîches, décortiquées ‖ 50 g de shii-takes (champignons) ou de tout petits champignons de Paris ‖ 1 courgette, émincée ‖ 1 petite carotte, émincée ‖ 50 g de haricots verts, coupés en tronçons de 2,5 cm ‖ 500 g de riz blanc nature (voir page 140) ‖ 2 cuillerées à café de shoyu ou de tamari ‖ 1 cuillerée à café de poivre noir fraîchement moulu ‖ 1 petit oignon blanc, émincé, pour décorer*

UN Dans une poêle antiadhésive, faire chauffer l'huile jusqu'à ce qu'elle grésille. À feu vif, faire revenir les crevettes pendant 1 minute. Les enlever de la poêle et les réserver. **DEUX** Ajouter les champignons, la courgette, la carotte et les haricots verts et les faire sauter, à feu vif, pendant quelques minutes. **TROIS** Incorporer le riz et le shoyu, poivrer et remuer soigneusement. **QUATRE** Remettre les crevettes dans la poêle avec le riz et faire revenir le tout pendant quelques minutes. **CINQ** Parsemer les morceaux d'oignon sur le dessus avant de servir.

Plat principal pour 2 personnes ou pour 4 personnes avec 2 autres plats

VALEURS NUTRITIONNELLES PAR PERSONNE 2 690 kJ – 636 kcal – protéines : 49,3 g – hydrates de carbone : 90,5 g – sucres : 4,6 g – graisses : 11,1 g – acides gras saturés : 2 g – fibres : 2,6 g – sodium : 609 mg.

INFO SANTÉ Les shii-takes contiennent un hydrate de carbone d'un type spécial appelé le lentinan. Ces champignons exotiques poussent aussi en Europe où ils sont connus sous le nom de lentins-de-chêne. Des tests ont montré que des extraits de lentinan pouvaient renforcer le système immunitaire et donc accroître la résistance aux infections.

Crêpes chinoises

Elles s'appellent aussi parfois crêpes de mandarin et accompagnent le canard croustillant aromatique *(voir page 24)*. Ces crêpes chinoises peuvent s'acheter toutes faites dans la plupart des supermarchés mais elles sont très faciles à faire soi-même. Préparées à l'avance, elles se conservent au réfrigérateur ou se congèlent pour être utilisées plus tard.

INGRÉDIENTS *200 à 250 g de farine* ‖ *20 cl d'eau bouillante* ‖ *1 cuillerée à soupe d'huile de sésame*

UN Tamiser la farine dans un grand saladier. Ajouter doucement l'eau bouillante et fouetter avec une fourchette ou une paire de baguettes pour l'incorporer. Rajouter de l'eau, si nécessaire. **DEUX** Retirer la pâte du saladier et la pétrir jusqu'à ce qu'elle soit souple et élastique. La remettre dans le saladier, la recouvrir d'un linge humide et la laisser reposer pendant environ 30 minutes. **TROIS** Pétrir la pâte pendant 2 à 3 minutes puis en faire un long rouleau d'environ 5 cm de diamètre. Le couper en 16. Aplatir chacun des tronçons en une fine crêpe de 15 cm de diamètre environ. **QUATRE** Enduire le dessus de 2 crêpes d'huile de sésame et les fermer comme un sandwich, leurs faces huilées à l'intérieur. Recommencer cette opération avec le reste des crêpes ce qui donne, au final, 8 paires de crêpes. **CINQ** Faire chauffer une poêle antiadhésive à feu doux. Y déposer une double crêpe et la laisser cuire de 2 à 3 minutes sur une face (la crêpe est cuite quand apparaissent sur la surface en contact avec la poêle des taches brunes) puis la retourner et la laisser cuire sur l'autre face pendant 2 minutes. La retirer de la poêle et la laisser refroidir un peu. **SIX** Séparer les deux crêpes et les plier chacune en deux puis en deux. Les empiler sur un plat résistant à la chaleur et les maintenir au chaud le temps de faire cuire les autres. Ces crêpes peuvent se conserver 2 à 3 jours dans le réfrigérateur. Pour les réchauffer, les faire cuire à la vapeur, à feu vif, pendant 5 minutes.

Pour 16 crêpes

VALEURS NUTRITIONNELLES PAR CRÊPE 232 kJ – 55 kcal – protéines : 1,3 g – hydrates de carbone : 10,9 g – sucres : 0,2 g – graisses : 0,9 g – acides gras saturés : 0,1 g – fibres : 0,4 g – sodium : traces

INFO SANTÉ Ces crêpes peuvent être fourrées avec toute une variété d'ingrédients qui vont des légumes crus aux œufs durs et à la salade. Elles peuvent avantageusement remplacer le sandwich du déjeuner. Remplacer un quart de la farine par de la farine complète permet d'augmenter leur teneur en fibres sans modification notable de leur goût.

Soupe de riz épicée

Ce plat, facile à faire, est souvent considéré comme roboratif et a de nombreux adeptes qui vont des jeunes enfants aux convalescents. Cette recette utilise les restes de riz cuit. On peut y ajouter tout ce qu'on veut. Certaines personnes agrémentent le riz de poulet cuit et de petits oignons blancs ou d'œufs de cane en conserve, tandis que d'autres le préfèrent nature et le considèrent plutôt comme une soupe ordinaire accompagnant une assiettée de nouilles ou de ravioles.

INGRÉDIENTS *1 l de bouillon de légumes ou de poule (voir page 17)* ‖ *200 à 250 g de riz cuit*

UN Dans une grande casserole à fond épais, porter le bouillon à ébullition. Passer sur la plus petite plaque ou le plus petit brûleur. **DEUX** Ajouter le riz cuit, remuer et couvrir à demi. Laisser mijoter pendant 30 à 45 minutes à tout petit feu en remuant de temps en temps pour éviter que le riz n'attache au fond de la casserole.

Petit déjeuner léger ou collation pour 4 personnes

VALEURS NUTRITIONNELLES PAR PERSONNE 294 kJ – 69 kcal – protéines : 1,2 g – hydrates de carbone : 16,7 g – sucres : 0 g – graisses : 0,2 g – acides gras saturés : 0 g – fibres : 0,1 g – sodium : 1 mg.

INFO SANTÉ Le riz ou « fan » est l'aliment de base dans le sud de la Chine. Il est riche en hydrates de carbone et ne contient pas de gluten. Pour obtenir du riz blanc on enlève l'enveloppe extérieure des grains, mais beaucoup de vitamines et de minéraux sont perdus au cours de cette opération. Cela dit, on trouve maintenant dans le commerce du riz blanc enrichi en vitamines. Le meilleur riz pour la santé reste toutefois le riz brun ou riz complet, mais en Chine il n'est souvent pas considéré comme un ingrédient de base. Quand on remplace progressivement de petites quantités de riz blanc par du riz complet on se retrouve parfois amené à le préférer.

Desserts

Pudding au tapioca et au lait de coco

Le tapioca (fécule de manioc) est parfois utilisé en Chine dans les soupes servies en dessert. Cette façon de faire a d'ailleurs été adoptée pleinement par de nombreux Occidentaux. Dans cette recette, le tapioca sert à préparer un pudding où se développent les parfums dominants de la mangue et du lait de soja.

INGRÉDIENTS *2 l d'eau* ‖ *150 g de tapioca* ‖ *2 cuillerées à soupe d'alcool de fleurs de sureau* ‖ *15 à 20 cl de lait de noix de coco allégé* ‖ *15 à 20 cl de jus de mangue* ‖ *1 grosse mangue, épluchée, dénoyautée et coupée en lamelles*

UN Dans une casserole, porter l'eau à ébullition. Y jeter le tapioca et le laisser cuire pendant environ 20 minutes pour qu'il devienne translucide. **DEUX** L'égoutter et le répartir dans quatre petits moules individuels. Les entreposer au réfrigérateur et les y laisser refroidir environ 2 heures pour que le tapioca « prenne ». **TROIS** Dans un bol, mélanger l'alcool de fleurs de sureau, le lait de coco et le jus de mangue. **QUATRE** Démouler les gâteaux de tapioca dans des bols individuels, les arroser de la préparation au lait de coco et les entourer de lamelles de mangue.

Pour 4 personnes

VALEURS NUTRITIONNELLES PAR PERSONNE 739 kJ – 215 kcal – protéines : 0,5 g – hydrates de carbone : 46,1 g – sucres : 10,1 g – graisses : 4,2 g – acides gras saturés : 3,7 g – fibres : 1,1 g – sodium : 27 mg.

INFO SANTÉ Les mangues sont très riches en bêta-carotène qui peut être transformé en vitamine A par l'organisme, et en vitamine C. Ces deux vitamines agissent comme des antioxydants qui contribuent à protéger l'organisme contre les méfaits des radicaux libres, à l'origine, croit-on, de certains cancers et maladies de cœur.

Gelée aux amandes et aux fruits

Cette recette de dessert chinois utilise du lait de soja au lieu du traditionnel lait en poudre, ce qui le rend moins gras et moins calorique. Comme il se fait avec de l'agar-agar (gélifiant alimentaire végétal) et non de la gélatine, il peut aussi convenir aux végétariens.

INGRÉDIENTS *1 l d'eau* ‖ *7 g d'agar-agar, coupé en morceaux* ‖ *50 g de sucre en poudre* ‖ *15 à 20 cl de lait de soja* ‖ *2 cuillerées à café d'essence d'amandes* ‖ *250 g de fruits assortis (par exemple : mangue, melon, kiwi et physalis), coupés en morceaux*

UN Dans une casserole, porter l'eau à ébullition. À feu doux, ajouter l'agar-agar et le laisser fondre (compter environ 20 minutes) en remuant de temps en temps. **DEUX** Ajouter le sucre et remuer jusqu'à sa complète dissolution. Retirer la casserole du feu. **TROIS** Incorporer le lait de soja puis passer le tout dans une passoire à mailles fines. **QUATRE** Ajouter l'essence d'amandes. Remuer puis répartir dans six petits moules individuels. Les entreposer au réfrigérateur et les y laisser refroidir environ 1 heure pour que la gelée prenne. **CINQ** Avant de servir, démouler les gelées sur un plat de service et les entourer des fruits en morceaux.

Pour 6 personnes

VALEURS NUTRITIONNELLES PAR PERSONNE 246 kJ – 58 kcal – protéines : 1 g – hydrates de carbone : 13 g – sucres : 12,4 g – graisses : 0,6 g – acides gras saturés : 0,1 g – fibres : 1,7 g – sodium : 15 mg.

INFO SANTÉ Présenter en dessert un assortiment de fruits garantit que le plein est fait en vitamines et minéraux de toutes sortes. Pour preuve : les mangues contiennent du bêta-carotène, bon pour les yeux, les kiwis sont riches en vitamine C (un seul kiwi en contient plus que la quantité requise par jour pour un adulte) et les physalis (les groseilles du Cap) sont bons pour la pression artérielle.

Crêpes à la noix de coco et aux fruits

Ces crêpes légères sont faites à partir de farine de riz au lieu de farine de froment. L'adjonction de lait de coco allégé en graisses en fera un dessert ralliant les suffrages de toute la famille, surtout si les enfants ont le droit de participer à la confection de la pâte et de fourrer leurs crêpes à leur goût.

INGRÉDIENTS *15 cl de lait de coco allégé en graisses, en conserve* ‖ *100 g de farine de riz* ‖ *15 cl de jus de mangue* ‖ *2 cuillerées à soupe d'huile de colza ou d'olive pour faire cuire les crêpes* ‖ *300 g de fruits assortis (par exemple : papaye, ananas et kiwi), coupés en morceaux* ‖ *1 cuillerée à soupe de pépins de courge grillés*

UN Préparer la pâte en mélangeant dans un saladier le lait de coco, la farine de riz et le jus de mangue. Bien la battre puis la laisser reposer pendant environ 15 minutes. **DEUX** Dans une petite poêle antiadhésive, de 15 cm de diamètre, verser ½ cuillerée à café d'huile et la faire chauffer à feu moyen jusqu'à ce qu'elle grésille. Veiller à ce que tout le fond de la poêle soit bien huilé. **TROIS** Déposer dans la poêle, à l'aide d'une louche, une fine couche de pâte et laisser cuire jusqu'à ce que le dessus semble avoir pris. Retourner la crêpe et laisser cuire l'autre face pendant 1 minute. La déposer sur un plat maintenu au chaud. Répéter l'opération avec le restant de pâte en graissant chaque fois la poêle avec ½ cuillerée à café d'huile entre chaque crêpe. **QUATRE** Avant de servir, déposer au centre de chaque crêpe 2 ou 3 cuillerées de fruits et les rouler. Les parsemer de pépins de courge sur le dessus et servir immédiatement.

Pour 6 crêpes

VALEURS NUTRITIONNELLES PAR CRÊPE 517 kJ – 147 kcal – protéines : 2,1 g – hydrates de carbone : 21,7 g – sucres : 7,7 g – graisses : 5,6 g – acides gras saturés : 2,6 g – fibres : 1,4 g – sodium : 17 mg.

INFO SANTÉ Les pépins de courge constituent une valeur ajoutée pour ces crêpes. Ils sont riches en fer, bénéfique pour le sang, et en zinc, nécessaire pour la croissance et le développement du système immunitaire.

Mousse glacée aux litchis

La saison des litchis va de novembre à janvier. Ils dégagent un parfum merveilleux et sont meilleurs lorsqu'ils sont frais. Mais compte tenu de la brièveté de cette saison, cette recette est à base de litchis en conserve. Les sorbets aux fruits l'ont grandement inspirée mais comme les litchis sont naturellement très sucrés, il n'y a pas de sucre ajouté.

INGRÉDIENTS *1 boîte de 550 g de litchis au sirop naturel ‖ 1 cuillerée à café de gingembre frais, finement râpé ‖ 1 cuillerée à café de tige de citronnelle, finement râpée ‖ 8 cl d'eau ‖ 10 à 15 cl de jus de citron*

UN Égoutter les litchis en conservant bien le jus. **DEUX** Dans un mixer, faire une émulsion avec les litchis, le gingembre, la citronnelle. **TROIS** Dans une casserole, faire chauffer à feu moyen l'eau, le jus des litchis et le jus de citron. Ajouter la mousse de litchis. Remuer pour bien mélanger et faire tout juste frémir. Retirer la casserole du feu et laisser refroidir. **QUATRE** Verser la préparation dans un contenant d'environ 20 x 30 cm, le fermer et le mettre au congélateur. Remuer de temps en temps jusqu'à ce que la consistance devienne tout juste ferme, ce qui prend environ 1 heure.

Pour 4 personnes

VALEURS NUTRITIONNELLES PAR PERSONNE 425 kJ – 599 kcal – protéines : 0,7 g – hydrates de carbone : 25,7 g – sucres : 25,6 g – graisses : traces – acides gras saturés : 0 g – fibres : 0,7 g – sodium : 3 mg.

INFO SANTÉ Les litchis frais regorgent de vitamine C qui contribue à combattre les infections et renforce le système immunitaire. En conserve, les litchis contiennent aussi de la vitamine C mais dans une mesure moindre.

Farandole de fruits tropicaux

Traditionnellement les repas se terminent en Chine par des oranges coupées en tranches. C'est une bonne façon d'intégrer une portion de fruits dans son alimentation et l'habitude devient ainsi une seconde nature. Cette recette recense certains fruits qu'il peut être agréable de servir à la fin d'un repas par une chaude journée d'été. On peut même les servir avec une mousse glacée aux litchis (voir page ci-contre) ou disposés sur des feuilles de banane au-dessus d'un lit de glace.

INGRÉDIENTS *1 ananas* ‖ *1 papaye* ‖ *2 kiwis* ‖ *2 caramboles* ‖ *12 kumquats* ‖ *125 g de fraises* ‖ *125 g de mûres* ‖ *des feuilles de menthe fraîche, pour décorer*

UN Mettre tous les fruits au frais. **DEUX** Au moment de les servir, éplucher l'ananas, lui enlever le cœur et le couper en gros morceaux. Peler la papaye, l'épépiner et la couper en tranches dans le sens de la longueur. Éplucher les kiwis et les découper en tranches. Couper les caramboles en tranches de 2 cm d'épaisseur. **TROIS** Disposer les fruits sur un grand plat et répartir les feuilles de menthe.

Pour 6 personnes

VALEURS NUTRITIONNELLES PAR PERSONNE 264 kJ – 62 kcal – protéines : 1,1 g – hydrates de carbone : 14,3 g – graisses : 0,4 g – acides gras saturés : traces – fibres : 3 g – sodium : 6 mg.

INFO SANTÉ Les fraises et les mûres sont très riches en vitamine C et les mûres contiennent aussi des éléments chimiques, les anthocyanines, qui agissent comme des antioxydants en contribuant à combattre les méfaits des radicaux libres dans l'organisme. La papaye contient aussi de la vitamine C ; une demi-papaye couvre les besoins quotidiens en vitamine C pour un adulte. Le kiwi est riche en potassium et en vitamine C.

Bananes aux graines de sésame

Dans les restaurants chinois, les gens aiment souvent terminer leur repas par des bananes caramélisées aux graines de sésame, ce qui constitue un dessert hypercalorique. Dans cette variante allégée en graisses, les bananes sont cuites avec du jus de pomme qui compense ainsi de façon naturelle la note sucrée apportée par le sucre caramélisé dans la version traditionnelle.

INGRÉDIENTS *50 cl de jus de pomme* ‖ *1/2 cuillerée à café de cannelle en poudre* ‖ *1/2 cuillerée à café d'extrait de noix de coco* ‖ *4 bananes, coupées en gros tronçons* ‖ *125 g de yaourt de soja nature* ‖ *1 cuillerée à soupe de graines de sésame grillées*

UN Dans une casserole, faire chauffer jusqu'à ébullition le jus de pomme additionné de la cannelle et de l'extrait de noix de coco. À feu plus doux, le laisser mijoter pendant 5 minutes. **DEUX** Ajouter les bananes, les couvrir et les laisser cuire pendant 10 minutes pour qu'elles s'amollissent. À l'aide d'une écumoire, les transférer et les répartir dans 4 coupelles à dessert. **TROIS** Incorporer le yaourt dans le jus de pomme parfumé et remuer pour obtenir une sauce un peu épaisse. Arroser les bananes de cette sauce et les saupoudrer de graines de sésame.

Pour 4 personnes

VALEURS NUTRITIONNELLES PAR PERSONNE 775 kJ – 182 kcal – protéines : 2,5 g – hydrates de carbone : 39,5 g – sucres : 36,9 g – graisses : 2,7 g – acides gras saturés : 0,4 g – fibres : 1,4 g – sodium : 11 mg.

INFO SANTÉ Les bananes sont riches en potassium qui contribue au bon fonctionnement des systèmes nerveux et musculaire.

Crème d'avocat et de noix de coco

C'est l'avocat qui rend cette crème aussi mousseuse et délicieuse. Nul ne pourra résister à sa belle couleur verte. Même les plus jeunes voudront y goûter.

INGRÉDIENTS *25 cl de lait de soja enrichi en calcium* ‖ *150 à 200 g de yaourt de soja* ‖ *1 gros avocat bien mûr, sans noyau et coupé en dés* ‖ *2 cuillerées à soupe de lait de coco, allégé en graisses, en conserve*

UN Dans un mixer, mélanger le lait de soja, le yaourt et l'avocat jusqu'à obtention d'une crème homogène.
DEUX Verser la préparation dans deux grands verres et déposer sur le dessus une cuillerée de lait de coco. Servir immédiatement.

Pour 2 personnes

VALEURS NUTRITIONNELLES PAR PERSONNE 1 201 kJ – 303 kcal – protéines : 6,9 g – hydrates de carbone : 14,7 g – sucres : 12,3 g – graisses : 24,2 g – acides gras saturés : 5,9 g – fibres : 3,5 g – sodium : 94 mg.

INFO SANTÉ Les avocats contiennent de la vitamine E et du potassium ainsi que des vitamines B1, B6 et C. Comme l'huile d'olive, ils sont riches en graisses mono-insaturées qui contribueraient à abaisser les niveaux de cholestérol dans le sang. Les avocats sont assez riches en graisses, et bien qu'ils contiennent de bonnes graisses, ils sont hypercaloriques.

Crème de haricots rouges

Les haricots rouges sont un ingrédient plutôt inhabituel dans cette recette de crème. La boisson qui en résulte est assez rassasiante, elle peut donc constituer une bonne collation pour le milieu de l'après-midi quand on ressent un petit creux après un déjeuner léger.

INGRÉDIENTS *1 l d'eau* ‖ *125 g de haricots rouges, mis à tremper dans de l'eau pendant 4 heures et égouttés* ‖ *50 à 55 cl de lait de soja, enrichi en calcium* ‖ *3 cuillerées à soupe de lait de noix de coco, allégé en graisses, en conserve* ‖ *de la glace pilée*

UN Dans une casserole, porter l'eau à ébullition. Y plonger les haricots et les laisser cuire à feu doux pendant 1 heure 30. Les retirer du feu et les laisser refroidir. **DEUX** Dans un mixer réduire les haricots et le lait de soja en une pâte onctueuse et homogène. **TROIS** Répartir dans 2 ou 3 grands verres la préparation et déposer à la cuillère, sur le dessus, un peu de lait de coco. Ajouter un peu de glace pilée juste avant de servir.

Pour 2 ou 3 personnes

VALEURS NUTRITIONNELLES PAR PERSONNE 601 kJ – 152 kcal – protéines : 10,3 g – hydrates de carbone : 19,2 g – sucres : 3,4 g – graisses : 4,3 g – acides gras saturés : 1,4 g – fibres : 3,5 g – sodium : 80 mg.

INFO SANTÉ Les légumes secs tels que les haricots rouges sont peu gras et riches en protéines et en fibres. Ils contiennent des fibres solubles et insolubles, ce qui veut dire qu'ils sont bons pour les intestins et qu'ils peuvent contribuer à faire baisser les taux de cholestérol dans le sang.

Index

Remerciements de l'auteur

J'aimerais remercier ma famille et mes amis qui, au fil des années, m'ont communiqué des recettes et des informations et ont partagé avec moi de nombreux et merveilleux repas, en particulier mon père Wai Man Chan, mon mari Pak Sham et mes bons amis Dominic Lam et Brian Oliver. Mes remerciements s'adressent aussi à Brenda Wong et Eddie Chan du Chinese Healthy Living Centre, à Simon Lam et Thomas Chan de la Chinese Takeaway Association et à Sue Burke du William Levene. Enfin, j'adresse toute ma gratitude à Ken Hom, l'auteur du premier livre de cuisine que j'ai eu entre les mains, pour ses encouragements et la préface qu'il a accepté de rédiger pour ce livre.

L'auteur et l'éditeur remercient Blue Dragon d'avoir fourni les ingrédients pour les photographies.

Pour de plus amples informations : www.bluedragon.com

RESPONSABLE D'ÉDITION Nicky Hill

CHEF DE PROJET Jessica Cowie

DIRECTEUR ARTISTIQUE Geoff Fennell

ASSISTANTE DE FABRICATION Aileen O'Reilly

PHOTOGRAPHIES William Reavell / © Octopus Publishing Group Ltd

DÉCORATION CULINAIRE Tonia George